KU-386-845

CHANEL

CATWALK COMPLETE

CHANEL

CATWALK COMPLETE

DIE KOLLEKTIONEN

Vorwort von Patrick Mauriès

Mit über 1.450 Abbildungen

PRESTEL
München · London · New York

INHALT

KARL LAGERFELD

1983

1984

1985

1986

1987

1988

1989

2004

2005

2006

2007

2008

2017

2018

2019

VIRGINIE VIARD

2020

VORWORT

»MODE VERGEHT, STIL BLEIBT«

von Patrick Mauriès

Am 25. Januar 1983, um 15 Uhr, versammelte sich eine Handvoll ausgewählter Gäste in den eleganten geschichtsträchtigen Räumen in der Rue Cambon 31, in denen bereits Mademoiselle Chanel, bekanntermaßen im Treppenhaus versteckt, ihre Kollektionen präsentierte. Den Eingeladenen war bewusst, dass sie Zeugen eines historischen Augenblicks werden würden, jedoch in unerwarteter Weise.

Ganz Paris war noch irritiert von der Nachricht, dass Karl Lagerfeld, einer der führenden und überaus kreativen Prêt-à-porter-Designer, bei einem leicht angestaubten Haute-Couture-Haus anfing. Und alle fragten sich, vielleicht mit einem Anflug von Schadenfreude, wie sich der Mann mit dem Fächer – der Fließendes und Blumiges wie etwa für Chloé entwarf – dieser selbst gewählten Herausforderung stellen würde: das verblassende Erbe einer Modelegende zu übernehmen und zu erneuern.

Mademoiselle Chanel war 1971 gestorben. Nach einem etwas schwierigen Comeback 1954 war es ihr geglückt, das Unternehmen in den Folgejahren wiederzubeleben, wenn auch mit dem Risiko, sich an eine Formel zu binden, die so eindeutig war wie die Schlagfertigkeit, für die die Modeschöpferin bekannt war. Mehrere Versuche, ihr Erbe fortzusetzen, waren gescheitert, und die Situation war alles andere als vielversprechend. »Die Leute vergessen gern«, sagte der Couturier mit dem Pferdeschwanz im Rückblick und mit einem Anflug seines berühmten Humors, »dass Chanel damals ein alter Hut war. Nur noch die Ehegattinnen von Pariser Doktoren trugen ihre Sachen. Niemand wollte sie, es war aussichtslos ...«

Diese erste Schau gab die Richtung vor für alle folgenden und legte einen Ansatz fest, der im Grunde unverändert blieb. Lagerfeld verwendete, mit unermüdlicher Begeisterung für die Geschichte seines Fachs und seiner Techniken, Reminiszenzen an diesen Stil als Grundlage seiner Erneuerung und vermied gleichzeitig jedes Klischee. Das mit Borten besetzte Kostüm, das Chanel-Symbol schlechthin, tauchte zu Beginn der Schau in drei kühnen Farben auf – Blau, Weiß und Rot –, aber bereits mit leicht veränderten Proportionen: breitere Schultern, betonte Taille, angepasste Rocklänge. Die allgegenwärtigen Vokabeln des Chanel-Lexikons – Kamelien, das Doppel-C-Signet, Ketten, Modeschmuck –, auf Stickarbeiten oder die Gestaltung der Silhouette übertragen, bildeten einen gezielten Kontrast zur Konvention oder spielten bewusst auf sie an. Diese Strategie war sorgfältig geplant. »Wenn man die Kollektionen der 1950er-Jahre betrachtet, am Ende der 50er«, sagte Lagerfeld, »sieht man nur wenige Ketten, kein ›CC‹, keine Kamelien. Aber in den 1980er-Jahren mussten wir alle Register ziehen, denn sonst wäre es nichts weiter als ein nettes, bescheidenes Tweedkostüm mit einer kleinen Schleife geblieben. Das sind Dinge, die ich zutage gefördert und übertrieben habe, und alle dachten, das habe es schon immer gegeben.«

Diesem Eröffnungsschachzug gesellte sich ein zweiter hinzu. Unzufrieden damit, die Chanel-Garderobe buchstäblich in ihre Einzelelemente zerlegt und neu zusammengesetzt zu haben, die »Uniform«, mit der das Haus in den vergangenen Jahrzehnten maßgeblich gleichgesetzt worden war, beschwor Lagerfeld wieder das herauf, was ihr vorausgegangen war: die langen, geschmeidigen Chanel-Linien der 1930er-Jahre, die fließenden Strickwaren, die Liebe zu Tüll und Organza, Stickerei und Spitze. Während Chanels Name in den 1950er-Jahren untrennbar mit dem klar strukturierten, von der Männermode abgeleiteten Tweedkostüm verbunden war, war die Chanel der 1930er-Jahre sinnlich und feminin gewesen, am Abend in eine Wolke aus Spitze gehüllt, zu Hause in ein Twinset oder am Tag in ein kleines schwarzes Kleid: »In den 1930ern war sie viel bekannter für ihre Spitze als für ihre Kostüme. Wenn ich Spitze höre, denke ich an Chanel.« Lagerfeld verfolgte von Anfang an den Weg zwischen diesen beiden Polen: »Ich versuche, dem Chanel-Stil die Weiterentwicklung zu ermöglichen, und denke dabei an Goethes Worte – eine bessere Zukunft aus Elementen der Vergangenheit zu schaffen.«

Lagerfeld hatte nicht beabsichtigt, mit der Tradition zu brechen, die fortzusetzen er beauftragt war, und wollte auch nicht um jeden Preis sein eigenes Profil durchsetzen, indem er alle Konventionen des Hauses verwarf, mochten sie auch noch so überholt erscheinen. Stattdessen tauchte er tief in die Geschichte ein, um ihren Faden aufzunehmen und in ein neues Motiv einzuweben, ein Design für die Zukunft. Und genau das hatte Karl Lagerfeld von seinen Anfängen bei Balmain und Patou bis zu seinen späteren Kollektionen für Cadette, Krizia, Charles Jourdan, Mario Valentino, Fendi und Chloé schon immer getan: Er nutzte diese unterschiedlichen Labels als Masken und Identitäten.

Indem er gegen das System und gegen die innerste Logik der Mode verstieß, gelang es ihm auf eindrucksvolle Weise, ein Modeschöpfer ohne eigenes Label zu werden. Und als er eines Tages doch eines gründete – erst mit der Lagerfeld Gallery, dann unter dem Markennamen Karl Lagerfeld –, reichte er es an Dritte weiter und machte sich selbst zum Aushängeschild. Er war ein Mann für alle Marken und für keine; er war einfach er selbst. Entsprechend stellte er sich selbst dar: als Opportunist, Chamäleon der Mode, professioneller Dilettant, sogar als Söldner. »In jüngster Zeit bin ich nur noch ein Söldner, den man dafür bezahlt, die Marke aufrechtzuerhalten«, erklärte er in frühen Interviews unverblümt und formulierte es später noch radikaler: »Mein Leben und meine Arbeit bestehen darin, mich selbst zu vergessen.«

So begründete er eine neue Ära im Modebusiness und etablierte ein neues Geschäftsmodell, das in den folgenden Jahrzehnten immer erfolgreicher wurde: das des allmächtigen *styliste*. Das war das eigentliche historische Ereignis, dem seine Gäste an jenem 25. Januar 1983 unwissentlich beiwohnten. Es verging über ein Jahrzehnt, bis dieses Modell mit John Galliano bei Dior und Tom Ford bei Yves Saint Laurent, gefolgt von Marc Jacobs, Hedi Slimane und Nicolas Ghesquière, um nur einige zu nennen, zur Norm wurde, zum Zeichen eines grundlegenden Wandels in der Modebranche. Aus dieser Perspektive betrachtet, bieten die folgenden Seiten einen exemplarischen Überblick über die gewaltigen Umwälzungen, die sich in der Mode in den letzten drei Jahrzehnten vollzogen haben, darunter auch die Neudefinitionen der Rollen von Haute Couture, Prêt-à-porter und der Sonderkollektionen.

Abgesehen von Lagerfelds eigenem Bedürfnis nach Zurückhaltung, ist einer der Gründe, weshalb dieses Arrangement bei Chanel so gut funktionierte (selbst wenn die frühen Jahre in Wahrheit sehr viel weniger harmonisch waren, als sie im Nachhinein erscheinen), dass Coco Chanel selbst keine vergangenheitsorientierte, engstirnige Person war, sondern in den Augen ihres Nachfolgers einen unberechenbaren, sprunghaften Charakter hatte. Sie war eine Frau der Gegenwart, ganz im Einklang mit dem Geist und den Anforderungen ihrer Epoche: »Chanel war eine Frau ihrer Zeit. Sie lebte nicht in der Vergangenheit, blickte nie zurück. Ganz im Gegenteil, sie hasste die Vergangenheit, auch ihre eigene, und daraus entsprang alles. Deshalb muss die Marke Chanel immer aktuell bleiben.«

Außerdem machte das Streben nach Aktualität Coco Chanel zu einer Designerin, die ihrer Zeit weit voraus war: »Wenn ich Chanel definieren müsste, würde ich sagen, dass sie die erste Modeschöpferin war, die den Frauen diese moderne Attitüde verlieh, die es vorher nicht gab.« Ein Designer ist geübt im Ändern und Übernehmen, Verschieben und Neuinterpretieren, und er ist in der Lage, die Elemente der Alltagsrealität zu Bausteinen eines völlig neuen Entwurfs zu machen, der vielleicht sogar besser ist als das Original. Genau das tat Chanel mit den Stoffen und Details, die sie von Männerkleidung übernahm, und Lagerfeld wiederum mit den klassischen Chanel-Symbolen. Im Grunde entspricht es dem, was der Rhetoriker Baltasar Gracián im 17. Jahrhundert als »geheimnisvolles Abwägen« bezeichnete, als den nicht greifbaren Sinn für Proportion, der hinter einer erfolgreichen Pointe liegt. Sein Esprit, seine Präzision und ironische Wortgewandtheit sind Qualitäten, die in Lagerfelds Leben, seiner Konversation und seinem Ansatz in der Mode stets präsent waren.

Der Wunsch und das Streben, sich in der Gegenwart zu verankern und wie ein Fotograf den Moment einzufangen, scheinen die natürliche Tendenz zu haben, flüchtig und kurzlebig zu sein. Aber bei Coco Chanel war – paradoxerweise – das Gegenteil der Fall: Ihre Arbeit als Designerin entzog sich dem Zugriff der Zeit und mündete in einen zeitlosen Stil. Wie Lagerfeld erklärte, »hat Chanel uns mehr als Mode hinterlassen: Sie hinterließ einen Stil. Und der altert nie, wie sie selbst sagte.« Und weiter: »Chanel hat uns ihren unverkennbaren Stil hinterlassen. Er ist zeitlos, muss aber auch im Einklang mit der aktuellen Mode stehen. Es ist ein Stil, der zu einer anderen Zeit gehört, aber überlebt hat und sich den Entwicklungen aller folgenden Jahrzehnte anpassen konnte.« Nicht zufällig trifft diese Beschreibung auch auf Chanels Nachfolger zu.

Bewusst oder unbewusst ist diese Art, die Dinge zu sehen, in einer sehr klassischen Definition von Stil verwurzelt: Die Frau ist der Stil. »Sie hatte ihren eigenen Look, ihren eigenen Stil ... Coco war jemand, der nichts verstand und doch alles; besser gesagt, sie verstand sich selbst. Chanel hat ... sich selbst gegeben.« Ihre Mode entsprang ihren eigenen physischen und mentalen Reaktionen auf die Gesellschaft, in der sie sich bewegte, ohne sich wohlzufühlen. Sie kämpfte dagegen an mit ihrer Fantasie, streute während ihrer gesamten Karriere immer wieder Details ein, die ihr Leben bestimmten: Motive aus dem Waisenhaus in Aubazine; Tweeds aus den Jahren mit dem Duke of Westminster; der Jersey aus Deauville; der Modeschmuck, der den byzantinischen Glanz Venedigs und des Großfürsten Dmitri Pawlowitsch Romanow widerspiegelte. Es waren diese diskreten – und überlegten – Motive, die Lagerfeld gekonnt in vielfach veränderliche Kombinationen einbaute und durch seine eigene Fantasie miteinander verschmelzen ließ. Unter der sich chamäleonhaft ändernden Oberfläche lassen sich stets Konstanten in Lagerfelds Kreationen erkennen: die Liebe zum geistreichen Zitat; die sorglose Aneignung von Bildwelten; die oben erwähnte Pointe; die Affinität für die Mode der 1930er-Jahre und für lange, weiche Linien, die sich überlagern und verweben; die Leidenschaft für Schwarz und Weiß (die Basis der Marke Karl Lagerfeld) und nicht zuletzt das Echo eines imaginären Deutschlands, das ihm erhalten blieb, obwohl er das Land vor Jahrzehnten verließ. »Ich bin in der Seele deutsch, komme aber aus einem Deutschland, das es nicht mehr gibt«, erklärte er – das traf bei ihm sogar auf den Gebrauch seiner Muttersprache zu. Im Laufe seiner Karriere erwähnte er mehrmals zwei große Deutsche des frühen 20. Jahrhunderts, die jedoch keine direkten Verbindungen zur Mode hatten, als seine Vorbilder für Eleganz: In den Persönlichkeiten des Schriftstellers und Politikers Walter Rathenau und des Ästheten und Kunstsammlers Harry Graf Kessler sind Spiegelungen des Auftretens von Lagerfeld unschwer erkennbar.

Was Lagerfeld und Chanel unzweifelhaft verband, war, dass beide zu regelrechten Verkörperungen ihrer eigenen Vision von Mode wurden. Man denke nur daran, wie Lagerfeld sich, bevor er in den Status einer Ikone erhoben wurde, im Laufe der Zeit neu erfand: Der vom 18. Jahrhundert besessene, sich Luft zufächelnde Dandy der 1980er-Jahre trug in den 1990er-Jahren ausgebeulte Anzüge im japanischen Stil, bevor er sich im folgenden Jahrzehnt erneut einem drastischen Wandel unterzog. Die schlanke Silhouette, die anzunehmen er beschloss – letzte Inkarnation dessen, was er selbst als seine »Marionette« bezeichnete –, wurde von den Kläppchenkragen seiner maßgeschneiderten Hemden akzentuiert.

Diese Veränderungen, die als bloße biografische Details abgetan werden könnten, sollten vielmehr als Teil der Transformation der Modewelt in den letzten drei Jahrzehnten angesehen werden – und als Lagerfelds Antwort auf seine eigene unaufhaltsame Entwicklung hin zu einer Art »multinationaler Luxusmarke« in einer Zeit, in der Mode eine »breitere, reichere und anspruchsvollere Zielgruppe« ansteuerte als je zuvor.

Dieselbe Idee liegt seiner Betonung der »ewigen Elemente« Chanels wie der 2.55-Stepptasche, dem bordierten Kostüm, den zweifarbigen Schuhen, der Kamelie und dem Modeschmuck nebst unzähliger Variationen zugrunde, die der außerordentlich erfindungsreiche Designer laufend entwickelte. Er sah sie vor allem als wiedererkennbare Symbole, die über alle Sprach- und Landesgrenzen hinweg verstanden werden: »Das ist für ein Unternehmen heute noch viel wichtiger als früher. Wir verkaufen in Erdteile, wo man unsere Schrift nicht lesen und unsere Sprachen nicht verstehen kann. In einem Teil der Welt – einem sehr großen – schreibt man ausschließlich Symbole. Man erinnert sich vielleicht an das berühmte ›CC‹, hat aber zunächst Schwierigkeiten, den Namen zu lesen. Das kommt später. Früher verkauften wir eher an Menschen, die unsere Kultur verstanden und Englisch oder Französisch lesen konnten. Heute ist das nur noch ein Teil unserer Kundschaft. Logos sind heute das Esperanto des Marketing, des Luxus und der Geschäftswelt.«

Das Aufkommen von Supermodels fiel zeitlich mit Lagerfelds Ankunft bei Chanel zusammen. Er spielte dabei sogar eine maßgebliche Rolle, indem er Ines de la Fressange einen Exklusivvertrag anbot. Dieser beispiellose Schritt kann als eine weitere Markenstrategie gesehen werden – sie wurde bis hin zu Cara Delevingne in den 2010er-Jahren bei einigen wenigen auserwählten Gesichtern beibehalten. Die nächste Stufe auf dem Weg zu einer visuellen Weltsprache war erreicht, als Lagerfeld nicht mehr nur für Chanels Kollektionen, sondern auch für ihre Präsentation in Fotoshootings und Anzeigenkampagnen sowie für das internationale Management des hauseigenen Images verantwortlich zeichnete.

Die Marke Chanel ist vor allem im vergangenen Jahrzehnt stetig gewachsen. Die 2000er-Jahre erlebten hinsichtlich der Anzahl und Vielfalt von Modenschauen einen steilen Anstieg. Cruise-Kollektionen, eine Erweiterung der Prêt-à-porter-Linien mit eigens für Reisen privilegierter Kundinnen in tropische Länder entworfener Kleidung, werden heute bei internationalen Events an ungewöhnlichen Locations präsentiert – einem Pariser Bus für die Cruise-Kollektion 2005–2006, Grand Central Station in New York, Santa Monica Airport, Lido di Venezia, Boskett der Drei Fontänen in Versailles, Dempsey Hill in Singapur oder The Island in Dubai – und von internationalen Medien weltweit übertragen.

Gleichzeitig führte der Wunsch, die Leistungen der zahlreichen Kunsthandwerker-Ateliers zu würdigen, die Chanel im Laufe der Jahre übernommen und unterstützt hat, zur Einführung der Métiers-d'Art-Schauen. Dabei wird die Meisterschaft von Ateliers wie Lesage (Stickerei), Lemarié (Federn und künstliche Blumen), Maison Michel (Hüte), Causse (Handschuhe), Massaro (Schuhmacher) und des traditionellen Kaschmirlieferanten Barrie aus Schottland präsentiert. Auch sie bieten Gelegenheiten, eine immense Vielfalt von Orten und Kulturen auf der ganzen Welt zu nutzen und die traditionellen Grenzen des Laufstegs zu überschreiten. Von Bombay bis Edinburgh und Dallas, Shanghai oder

Salzburg werden kunstvoll gearbeitete Kollektionen in historischen oder spektakulären Umgebungen präsentiert, die als lebendiges Schaufenster für Varianten der charakteristischen Markensymbole, exotische Motive und Hommage an Vergangenes fungieren. Auch in diesem Fall begründete Karl Lagerfeld eine Praxis, die von vielen großen Modehäusern früher oder später nachgeahmt wurde.

Diese Art theatralischer Aufführung verbreitete sich rasch. In den Imperien sowohl des Prêt-à-porter als auch der Haute Couture finden Modenschauen in der Regel vor riesigen, extravaganten Kulissen statt; Chanel-Schauen meist im Grand Palais in Paris. Als globale Events konzipiert, gehen sie in Zeiten von sich ständig verschärfenden Bilderschlachten neue Wege der Erweiterung und Verallgemeinerung der Modebotschaft.

Prêt-à-porter, Haute Couture, Cruise, Métiers d'Art: Jede der sechs* jährlichen Kollektionen, die Lagerfeld für Chanel entwarf, erforderte einen angemessenen Präsentationsstil, der bestimmten Ansprüchen genügen musste. »High-Low«-Kooperationen (ein Trend bei Topdesignern wie Lagerfeld, Sortimente für Einzelhandelsketten zu entwerfen) und dem steigenden handwerklichen Niveau des Prêt-à-porter zum Trotz, das mittlerweile der Haute Couture hinsichtlich Raffinement und Preis Konkurrenz macht, blieben die Grenzen zwischen den verschiedenen Gebieten der Mode, wie stark sie auch in der allgemeinen Wahrnehmung zu verschwimmen scheinen, in den Augen des Designers klar definiert: »Haute Couture hat nichts mit Prêt-à-porter zu tun«, sagte Lagerfeld 2015. »Sie sollte nichts mit Prêt-à-porter zu tun haben.« Anders als erwartet, bezieht sich diese Distanz nicht nur auf die beteiligte Handwerkskunst, die Details der Ausführung, unzählige Stunden Stickerei, die Anproben und den erforderlichen kleinen Kundenkreis. Sie reflektiert auch die Verwendung technischer Innovationen und das durch sie ermöglichte neue Potenzial: Der Einsatz einer 3-D-Technik in der Haute-Couture-Kollektion Herbst/Winter 2015–2016 ist dafür nur ein beeindruckendes Beispiel von vielen.

»In der Mode«, so Lagerfeld, »dauert die Zukunft drei Monate, drei Monate, drei Monate.« Und dieser hektische, schnell sprechende Mann schien wie für diese Dauerbewegung gemacht: immer einen Gedanken dem voraus, was er gerade selbst sagte, und zwei Gedanken weiter als sein Gesprächspartner, wer auch immer das war. Dabei folgte er, die Zukunft im Blick, buchstäblich dem Faden seiner Entwürfe, die er »Vorschläge« nannte: »Ich analysiere nicht, was ich tue. Ich tue es ohne jeden Kommentar. Ich biete etwas an. Mein Leben ist ein Leben der Vorschläge. Und in jedem Fall kommt es bei meinen Kollektionen immer nur auf die nächste an.« Er behielt nichts, schwelgte nicht in Erinnerungen und rangierte fortwährend Vergangenes aus: »Ich werfe alles weg. Das wichtigste Möbelstück in einem Haus ist der Mülleimer! Ich habe keine eigenen Archive, keine Zeichnungen, keine Fotos – nichts! Man erwartet schließlich von mir, dass ich etwas mache, nicht, dass ich mich erinnere!«

Aus diesem Grund lehnte er auch die Mitarbeit an einer Retrospektive über sein Lebenswerk, ja selbst den Besuch der Ausstellung ab. Vielleicht war das das äußerste Paradoxon dieses kultivierten, aus demselben Stoff wie die Zeit gemachten Virtuosen: Er kannte nichts und kümmerte sich um nichts als die ewige Gegenwart, den Moment, in dem er mit einem Bleistift in der Hand Platz nahm, um etwas zu entwerfen. Um dann zu sehen, wie sein Entwurf, fast wie im Märchen, durch die Handwerkskunst unsichtbarer *petites mains* Wirklichkeit wurde.

Seine rechte Hand war Virginie Viard – nun seine Nachfolgerin. Sie stammt aus einer Familie von Seidenfabrikanten und hat gute Beziehungen zu jenen Werkstätten, die für Chanel seit Jahrzehnten hinter den Kulissen dazu beitragen, die faszinierenden Schauen des Hauses zu erschaffen. Viard fing 1987 bei Chanel als Volontärin an und wurde zu ihrer großen Freude bald damit beauftragt, die Verbindung zu den Stickereiateliers von Lesage und Montex zu pflegen. »Die Métiers d'Art steuern ihre Kunstfertigkeit bei. Sie sorgen dafür, dass unsere Modelle überirdisch schön werden«, sagte sie einmal. Chanels erste, 2002 präsentierte Métiers-d'Art-Schau bezeichnet sie als einen magischen Moment. »Es war alles so einfach«, erinnert sie sich. »Die kleine Schau fand im Salon statt: Die Wohnung, der Treppenaufgang mit den verspiegelten Wänden ... Ich liebe das alles ... In dieser »Satellite-Kollektion« gab es nur einen bestickten Pullover, einen Rock und eine schmale Hose – es war überwältigend. Für mich war das die Essenz von Coco Chanel.«

Es war diese intime Situation, in der Virginie Viard die wesentlichen Elemente der Chanel-Garderobe verinnerlichte. Diese wurden für sie zu einer Inspirationsquelle für ihre erste eigene Métiers-d'Art-Kollektion, als Kreativdirektorin der Haute Couture, des Prêt-à-porter und der Accessoires – und als erste Modeschöpferin des Hauses nach Gabrielle Chanel.

* Karl Lagerfeld entwarf jedes Jahr insgesamt zehn Kollektionen für Chanel, von denen sechs auf dem Laufsteg präsentiert wurden.

DIE KOLLEKTIONEN

KARL LAGERFELD – EINE KURZBIOGRAFIE

von Patrick Mauriès

Karl Lagerfeld wurde im September 1933 in Hamburg geboren. Der Sohn einer wohlhabenden Familie verbrachte eine privilegierte Kindheit und Jugend zwischen seiner Geburtsstadt und dem Anwesen seiner Eltern in Schleswig-Holstein.

1952 kam er nach Paris und beschloss, sich der Mode zu widmen. 1954 gewann er den International Woolmark Prize für den Entwurf eines Mantels, der von dem Couturier Pierre Balmain umgesetzt wurde. Mit 21 Jahren wurde Karl Lagerfeld Assistent von Balmain, für den er drei Jahre lang tätig war, bevor er als künstlerischer Leiter bei Jean Patou begann. Fünf Jahre später machte er sich selbstständig. In Frankreich, Italien, Deutschland und Großbritannien entwarf er neben Kleidern auch Stoffe, Schuhe und Accessoires. Er arbeitete mit so unterschiedlichen Modehäusern wie Charles Jourdan, Krizia, Valentino und Cadette zusammen und wurde bald zu einem führenden Vertreter des Prêt-à-porter, das in dieser Zeit zunehmend an Bedeutung gewann.

Von 1963 bis 1982 und erneut von 1992 bis 1997 konzentrierte sich Lagerfeld auf den Entwurf von Kleidung und Accessoires-Linien für Chloé. 1965 begann er eine Zusammenarbeit mit den Fendi-Schwestern in Rom, wo er den Umgang mit Pelz revolutionierte – eine Aufgabe, der er sich während seiner Laufbahn kontinuierlich widmete. 1983 wurde Karl Lagerfeld Kreativchef für alle Haute-Couture-, Prêt-à-porter- und Accessoires-Kollektionen von Chanel. Drei Jahre später beschloss er, hinter das Objektiv zu treten, und übernahm den Entwurf aller Anzeigenkampagnen seiner Marken für Print und Film.

Lagerfelds Spektrum umfasste alle Bereiche der Mode, einschließlich Parfüm. 1975 kreierte er den Duft Chloé, der zu einem riesigen Erfolg wurde. Damit war Lagerfeld der erste Designer, der ein Parfüm herausbrachte, ohne über ein eigenes Label zu verfügen. Weitere von ihm komponierte Düfte waren Lagerfeld pour Homme (1978), sein zweiter Herrenduft, Photo (1991) sowie Jako (1998) und Kapsule (2008).

Erst 1984 gründete der Designer ein Prêt-à-porter-Label unter seinem eigenen Namen, für das er, neben den Entwürfen für Chanel und Fendi, eigene Kreationen schuf. Dieses Label, das 1998 unter Lagerfeld Gallery firmierte, wurde 2012 umbenannt und seitdem mit neuem Konzept unter dem Namen Karl Lagerfeld weitergeführt – es stand für erschwinglichen, online bestellbaren Luxus. Ein ähnlicher Ansatz findet sich bei der Sonderkollektion, die er 2004 für die Modekette

H&M entwarf und die innerhalb weniger Tage ausverkauft war. Im März 2014 lancierte er zwei neue Düfte für Damen und Herren.

2010 erhielt Lagerfeld in New York den Couture Council Fashion Visionary Award des Fashion Institute of Technology. Im November 2012 wurde er bei der Verleihung der Marie Claire Fashion Awards zum einflussreichsten Designer der vergangenen 25 Jahre gekürt. Außerhalb der Modewelt hat er Kostüme für Opern- und Ballettproduktionen der Scala in Mailand, der Oper von Florenz, der Salzburger Festspiele und der Oper von Monte Carlo sowie für den Film entworfen. Er war außerdem Autor mehrerer Bildbände.

Über den Modedesigner wurden drei Dokumentarfilme gedreht: 2007 entstand *Lagerfeld Confidential* von Rodolphe Marconi, im Jahr darauf *Karl Lagerfeld, un Roi seul* von Thierry Demaizière und Alban Teurlai, und 2013 erschien *Karl Lagerfeld se dessine* von Loïc Prigent.

Dieses Buch ist das erste, das sich auf eine sehr umfassende Weise mit den Arbeiten Karl Lagerfelds befasst, und bis zu seinem Tod im Februar 2019 war er selbst an dessen Entstehung beteiligt. Seither wurden sein Lebenswerk und seine Leistungen vielfach gewürdigt. Karl Lagerfeld gilt als eine der bedeutendsten Persönlichkeiten der zeitgenössischen Modewelt.

»ALLE REDEN ÜBER CHANEL«

»Es ist, als würde man ein altes Theaterstück wiederbeleben«, sagte Karl Lagerfeld zu Suzy Menkes über seine allererste Kollektion für Chanel. »Man muss versuchen, es aus der Sicht des Premieren-Publikums zu betrachten, darf aber nicht allzu viel Respekt haben. Es ist wichtig, jungen Leuten einen Anknüpfungspunkt an Chanels Stil zu bieten – es muss Spaß machen.«

»Wir versuchen nicht, Mademoiselle Chanels Kleider Punkt für Punkt zu neuem Leben zu erwecken, weder bei Couture noch bei Prêt-à-porter«, erklärte Lagerfeld der *Vogue*. »Wir halten uns an eine gewisse Tradition und nehmen Veränderungen nur schrittweise vor. Coco Chanel war zu ihrer Zeit modern – wir möchten das Chanel-Image erneuern.«

»Aufgrund von Chanels letzten Jahren ist ein sehr statisches Bild von ihr entstanden«, erklärte der Couturier gegenüber *Women's Wear Daily*. »Ich habe mir ihren gesamten Karriereverlauf angesehen und viel Interessanteres gefunden.« Lagerfeld ließ sich weniger von den bekannten Entwürfen der 1950er-Jahre inspirieren, sondern griff auf Coco Chanels Modelle der 1920er- und 1930er-Jahre zurück und präsentierte eine Kollektion, die zum Gesprächsthema von Paris wurde. »Alle reden über Chanel«, schrieb *Vogue*.

Lagerfeld beschrieb seine erste Kollektion für das Haus als »modern und nicht Las-Vegas-sexy, sondern schick-sexy, und das Ganze mit neuen, längeren und schmaleren Proportionen. Obwohl Chanel es selbst nie so gemacht hat, sieht es sehr nach ihr aus, nicht wahr? Momentan bin ich wie ein Computer im Chanel-Modus«, schloss er.

»ES GEHT UM LUXUS«

In Karl Lagerfelds zweiter Haute-Couture-Schau für Chanel, die in der École des Beaux-Arts präsentiert wurde, drehte sich, wie er erklärte, »alles um Luxus«.

Inspiriert von der Geschichte des Hauses und den außergewöhnlichen Handwerkskünsten der Haute-Couture-Ateliers, präsentierte Lagerfeld über 50 Kostüme in zahllosen Farben und Schnittvarianten. Um herauszufinden, wie Mademoiselle die Ärmel ihrer legendären Kostümjacke herstellte, holte er einen von Coco Chanels Schneidern aus dem Ruhestand zurück. »Sie bestehen aus fünf Schnittteilen«, sagte er voller Bewunderung in *Women's Wear Daily*.

Getreu dem Geist der Haute Couture arbeitete Lagerfeld mit Luxusmaterialien wie Pannesamt und setzte raffinierte Perlenstickerei sowie opulente Stickereien ein, die von Coco Chanels persönlicher Barocksammlung und dem Dekor von kunstvoll gearbeiteten Möbeln des 18. Jahrhunderts beeinflusst waren.

Women's Wear Daily resümierte, dass Lagerfeld »die Chanel-Karosserie nimmt und viel Chrom hinzufügt: Pelzbesätze, krönchenartig geformten Schmuck, Stickerei à la Fabergé, unzählige Halsketten und Gürtel, und sogar seine Braut tritt in einer Hermelin-Chanel-Jacke vor den Traualtar.«

77

»EIN BESCHLEUNIGTER RHYTHMUS«

Auch für seine erste Prêt-à-porter-Kollektion für Chanel wirbelte Lagerfeld den charakteristischen Stil des Hauses kräftig auf und lockerte ihn, um ihn einer neuen Frauengeneration anzupassen und die Modekritiker zu beeindrucken.

Suzy Menkes beschrieb die Kollektion in der *Times* als »eine überwältigende Chanel-Schau, in der uns Lagerfeld junge, erfrischende Kleidung präsentierte, geprägt von Mademoiselles Geschmack und seinem eigenen Esprit«, während *Vogue* erklärte, der Modeschöpfer habe »der modernen Garderobe ganz neuen Schwung« verliehen, indem er »Chanels Wesen einfing und den Rhythmus leicht beschleunigte«.

Lagerfeld verwendete ungewöhnliche Stoffe – vor allem blauen Denim, den er zu klassischen Kostümen, Tageskleidern und sogar passenden Hüten verarbeitete (das Thema tauchte auch in späteren Kollektionen wieder auf, siehe etwa Seite 64–67 und Seite 130–135), während sich der »beschleunigte Rhythmus« als sportive Note zeigte, die sogar ein Chanel-Motorrad-Outfit beinhaltete – eine Idee, die Lagerfeld Jahrzehnte später wieder aufgriff (siehe Seite 300–303).

KAMELIEN UND
CHINESISCHES PORZELLAN

Karl Lagerfeld setzte seine Neuinterpretation der Chanel-Markenzeichen fort, wobei er sich in dieser Kollektion vor allem auf schwarze Schleifen und Cocos Lieblingsblumen, weiße Kamelien, konzentrierte: Zu Schleifen geknotete Bänder wurden als Halsschmuck getragen, an Kragen, Blusen und Röcken befestigt und sogar als Gürtel eingesetzt, während Kamelien an Hüten, Ausschnitten, Schals und Haarbändern steckten.

Das Chanelkostüm wurde verlängert, die Jacke reichte bis über die Hüfte und der Rock über die Knie, während Lagerfeld für den Abend atemberaubende, bodenlange Kleider und prächtige, an chinesisches Porzellan erinnernde Stickereien aus dem Hause Lesage präsentierte, deren Motive, wie er *Women's Wear Daily* verriet, »direkt aus einem Porträt von Sargent« stammten.

101

SPORTLICHE ALLÜRE

Karl Lagerfeld präsentierte eine weich geschnittene Chanel-Kollektion mit Hosenanzügen, die *Vogue* als die »charmantesten, femininsten von Paris« beschrieb. Ein weiterer Fokus lag auf neuinterpretierter Luxus-Sportmode, wie Lagerfeld sie in seiner letzten Prêt-à-porter-Kollektion für Chanel vorgestellt hatte (siehe Seite 30–31).

Auf Coco Chanels Erbe aufbauend, die in den 1920er-Jahren Sportlooks der Luxusklasse den Weg gebahnt hatte, präsentierte er kühne Rodel-, Ski-, Hockey-, Angler- und Jagd-Ensembles. »Bei meinen Recherchen zu Chanels Beiträgen zur modernen Mode sah ich, wie Mademoiselle Sportbekleidung entwarf«, sagte Lagerfeld der *Vogue*. »Ich machte, was sie meiner Ansicht nach auch machen würde, wenn sie hier wäre.«

»DER KÖRPER DER 1980ER-JAHRE«

Das klassische Chanelkostüm entwickelte sich weiter, denn Karl Lagerfeld passte die Proportionen dem modernen weiblichen Körper an. »Der Körper der 1980er unterscheidet sich stark von dem der 1950er«, sagte der Designer gegenüber *Women's Wear Daily.* »[Die Frau von heute] hat viel Schulter, eine lange Taille, Hüften, die nicht rund sind, und lange, lange Beine.«

Lagerfelds neue Kostüme hatten überdimensionierte Goldknöpfe (die traditionelle Chanel-Borte tauchte jedoch selten auf), während er für den Abend opulente, von den prachtvollen Möbeln der Romanows und den Insignien der russischen Zaren inspirierte Stickereien wählte.

DIE »HORIZONTALE« JACKE

Coco Chanels bekannte Abneigung gegen unbedeckte Knie missachtend, nahm Karl Lagerfeld das klassische Chanelkostüm entschlossen mit ins Zeitalter des Minirocks. »Eine Frau, die ihre Ellbogen zeigen kann, kann auch ihre Knie zeigen«, erklärte er und setzte seine Metamorphose des legendären Ensembles fort. Die von ihm als »vertikal« bezeichnete Jacke machte er zu einer kürzeren, quadratischeren, »horizontalen« Jacke, die in T-Form locker fiel und zu einem engen Rock getragen wurde, womit er seinen eigenen Worten zufolge »Chanels klassisches Konzept völlig auf den Kopf stellte«.

Für eine Designer-Kollektion ungewöhnlich, widmete sich Lagerfeld auch dem T-Shirt, das er in luxuriösen schwarzen Crêpe-Georgette- und Spitzen-Versionen für den Abend präsentierte. »Das ist das Einfachste, was man tragen kann«, sagte Lagerfeld der *Vogue*. »T-Shirts sind total modern. Als ich anfing, für Chanel zu entwerfen, wollte ich das Naheliegende auf einfache, aber luxuriöse Weise übertragen. Also warum nicht einmal ein T-Shirt aus Spitze?«

ODE AN WATTEAU

»Was könnte französischer sein als Watteau?«, fragte Karl Lagerfeld, dessen Haute-Couture-Kollektion für Chanel vom Werk des Malers aus dem 18. Jahrhundert inspiriert war. Er übernahm die hellen Farben seiner *fêtes galantes* und erinnerte an die sich durch sein Werk ziehenden Figuren der Commedia dell'arte, allen voran Pierrot bzw. Gilles.

Gilt Jean-Antoine Watteau auch als typischer Vertreter des dekorationsverliebten Rokokostils, so sei er doch, wie Karl Lagerfeld betonte, »kein bisschen überladen: Wenn man sich Watteau wirklich ansieht, ist er sehr schlicht, sehr rein, sehr modern«. Der Modeschöpfer überarbeitete die Proportionen der klassischen Chanel-Jacke nach dem Vorbild von Watteaus Pierrots mit überschnittenen Schultern und geschoppten, dreiviertellangen Ärmeln, die mit eleganten Schleifen verziert wurden, um ihnen den besonderen Chanel-Touch zu verleihen.

Karl Lagerfeld war nicht der Erste, der Watteaus Ästhetik mit Chanels Stil zusammenbrachte: Coco Chanel selbst trug 1939 auf dem Maskenball (anlässlich des 300. Geburtstags von Jean Racine) des Grafen Étienne de Beaumont ein von Watteaus Bild *Der Gleichgültige* inspiriertes Kostüm. Dazu angeregt wurde sie unter Umständen durch den Diebstahl des Gemäldes aus dem Louvre wenige Tage vor dem Ball und den folgenden Presseberichten. Coco Chanel war von diesem Look so angetan, dass sie das Ensemble kurz darauf für eine ihrer Kollektionen in ein Damenkostüm umarbeitete. Diana Vreeland bestellte es umgehend in einer rubinroten Seidensamtversion, Chanel trug es in schwarzem Samt.

Die Abendkleidung war besonders luxuriös und mixte »Stickerei-Elemente des 18. Jahrhunderts mit den Debütantinnenröcken der 1950er-Jahre«, wie Lagerfeld erklärte. Diesen Look verkörperte vor allem das bodenlange hellblaue, von Inès de la Fressange getragene Kleid. Daneben wurden schicke ländliche Looks gezeigt, wie ein von Jerry Hall vorgeführtes, auffallendes pastellfarbenes Colombine-Kleid, das mit einer gelben gegürteten Lederjacke kombiniert wurde.

FÜR TAG UND NACHT

»Ich mag die Elemente für Tag[eskleidung] auch gern für den Abend … elegante Sportkleidung und sportliche Eleganz«, sagte Lagerfeld der *Women's Wear Daily*, um den Schwerpunkt seiner Prêt-à-porter-Kollektion vorzustellen: Tag-Nacht-Kombinationen verschiedener Stoffe und Silhouetten, die Chanels Tageskleidungsstil in schicke Abendkleidung verwandelten. Sie wurde vor einer Kulisse präsentiert, die von der Fassade des bekannten Chanel-Hauptsitzes in der Rue Cambon 31 inspiriert war.

Cardigans aus Crêpe oder Seidenjersey für den Abend wurden zu schwarzen, bodenlangen Crêperöcken getragen und Poloshirts mit Chiffonröcken kombiniert. Lagerfeld wartete mit streng geschnittenen schwarzen Redingotes auf, die als Abend-Übermäntel fungierten, selbstverständlich mit Goldknöpfen sowie Chanel-Ketten als Accessoires. »Der Redingote verleiht dem Körper eine der schmeichelhaftesten Silhouetten«, sagte er der *Vogue*. »Das funktioniert bei Männern und Frauen.«

GEGÜRTETE TAILLEN

Karl Lagerfeld konzentrierte sich bei dieser Chanel-Kollektion auf die Taille und gürtete alles, vom legendären Chanelkostüm über Trompe-l'œil-Wolljerseykleider, die zweifarbig waren und aussahen wie Kostüme, bis hin zu Cocktail- und Abendkleidern. Die Gürtel reichten von schmalen Goldketten bis zu breiten, schwarzen, gesteppten Varianten, die mit einer Goldschließe und häufig auch dem Doppel-C verziert waren.

Lagerfeld nutzte das Potenzial der Haute-Couture-Ateliers und präsentierte reich bestickte Abendkleidung und außerdem einen Mantel mit eingearbeitetem Kelim-Muster, das aus über 190 000 Stück für Stück von Hand im Hause Lesage aufgestickten Pailletten bestand. Nur Karl Lagerfeld und gelegentlich Yves Saint Laurent kämen mit eigenen Inspirationen zu ihm, wie François Lesage zu Suzy Menkes sagte.

BEIGE UND GOLD

Für diese Kollektion wurde das klassische Chanelkostüm in einer gegürteten Tunika-Variante neu aufgelegt. Präsentiert wurde sie, Jahre bevor das Haus einen Nachbau der Straße unter den Glaskuppeln des Grand Palais zeigte (siehe Seite 428–431), vor einer Haussmann'schen Kulisse, die an die Architektur des Chanel-Hauptsitzes in der Rue Cambon erinnerte. Die Bühne war auf beiden Seiten mit den Ikonen des Chanel-Stils geschmückt, von Stepptaschen und Kamelien über zweifarbige Pumps bis zu Perlen.

Lange Jacken wurden mit einfachen weißen Hemden kombiniert, urbane Shorts oder knappe Bleistiftröcke endeten knapp oberhalb des Knies. Die Palette hielt sich an die klassischen Chanel-Farben Schwarz, Marine, Beige und Weiß – der ideale Hintergrund für den verschwenderisch eingesetzten Goldschmuck, der fast jedes Outfit begleitete, von um die Taille oder um den Hals geschlungenen Goldketten bis hin zu übergroßen Goldknöpfen, Gürteln und auffälligen runden Doppel-C-Ohrringen.

MARINE UND WEISS

Wie in seiner vorhergehenden Kollektion für Chanel (siehe Seite 52–53), rückte Karl Lagerfeld auch bei dieser in der École des Beaux-Arts präsentierten Haute-Couture-Kollektion von der Betonung der Schultern ab. »Die große, gepolsterte Schulter ist out, die ganze Fülle befindet sich an den Hüften«, sagte er zu *Women's Wear Daily*, die sein Motto der Saison beschrieb als »umgeformter Rumpf mit schmaler, verlängerter Taille, Volumen, langen, weiten Röcken, einheitlich dunklen Farben und dem Kontrast zwischen sehr Modernem und historischen Elementen«.

Die originellen Accessoires umfassten Doppel-C-Bettelarmbänder, Ohrringe, an denen Miniatur-Chanel-Geldbörsen oder Parfümflakons baumelten, Perlencolliers und große Kreissägen mit überdimensionalen Schleifen. Sogar ein Labrador mit einem gesteppten Chanel-Lederhalsband betrat als Begleiter des Starmodels des Modehauses, Inès de la Fressange (Besitzerin dieses modischen Hundes), den Laufsteg.

DAS BÄNDERKLEID

Karl Lagerfeld eröffnete seine Schau scherzhaft mit Madonna-, Sade- und Tina-Turner-Doppelgängerinnen, die jeweils ihnen entsprechende Versionen von Chanel-Kleidung trugen. Dann zollte er dem englischen Country-Look Tribut –, einem Stil, den Coco Chanel bei ihren Ferien in England und Schottland bevorzugt hatte – mit Pepita-Hosenanzügen mit überschnittenen Schultern, zu denen weiche Kaschmir-Stricksachen anstelle von Blusen getragen wurden.

Lagerfeld ließ auch eine von Coco Chanels femininsten Kreationen aufleben und interpretierte sie neu: das Bänderkleid mit schwarzen Satinbändern an Ausschnitt und Saum, das er mit passenden schwarzen Kamelien schmückte.

DAS KNOPFLOSE KOSTÜM

Karl Lagerfeld lockerte das klassische Chanelkostüm auf, schaffte die bekannten Goldknöpfe ab und präsentierte stattdessen eine »schwerelose«, ungefütterte Jacke, die fast wie ein Pullover über passenden Blusen oder einfachen schwarzen T-Shirts getragen wurde.

Für diese in der École des Beaux-Arts präsentierte Kollektion erkundete der Modeschöpfer die A-Linie und zeigte spektakuläre Abendmode, darunter kurze, bauschige Krinolinenkleider.

Lagerfeld hatte gelobt, diese Kollektion in »ausgefallen und klassisch« aufzuteilen, »denn heute ist das Leben so«, und er hielt sein Versprechen mit Einsprengseln von »Cadillac-Schick«, wie *Women's Wear Daily* es nannte, darunter ein Kleid aus Leder mit Chanel-Metallketten, kombiniert mit einer rot-weiß-blauen, klassischen Chanel-Jacke, die Inès de la Fressange spontan mit einer Rock-'n'-Roll-Geste ins Publikum warf.

DAS NEUE CHANEL N°5

Die Kollektion, die mit dem Relaunch von Eau de Parfum N°5 zusammentraf, war eine Hommage an den weltberühmten Duft. Unzählige Doppelgängerinnen von Jean Seberg aus dem Kultfilm *Außer Atem* verteilten vom Laufsteg aus den *Herald Tribune*. Die Zeitung enthielt eine farbige Anzeigenbeilage mit einem Artikel von Lagerfeld über Chanel und einem Foto von Carole Bouquet, dem neuen Gesicht der Chanel-N°5-Kampagne (und Star des neuen Werbespots von Ridley Scott). Coco Chanels Glückszahl prangte auf allem, angefangen von Ohrgehängen mit großen goldenen Fünfen bis hin zu Halsketten mit Anhängern, Armspangen und schmuckbesetzten Kettengürteln.

Das legendäre Kostüm wurde in einer kastigen Version präsentiert mit passenden schmalen Wollröcken, während Lagerfeld Hüte, weiße Jeanskleider sowie flache Pumps und Stiefel mit plakativen schwarz-weißen Streifen belebte und den Look »Rock-'n'-Roll-Romanze« taufte.

Denim war ein weiterer Haupttrend der Kollektion, die mit Jeans-Baseballcaps im Kamelienprint und Jeans-Mantelkleidern mit ausgestellten Röcken aufwartete. »Denim ist der Jersey der späten 1980er-Jahre«, sagte Lagerfeld. »Er wird genauso beliebt und langlebig werden.«

HANE

»PARABOLISCHE RÖCKE«

Die in der École des Beaux-Arts präsentierte Haute-Couture-Kollektion spielte sich vor einer überraschenden Kulisse ab: Am Ende des Laufstegs stand eine Statue von Inès de la Fressange als geflügelte Siegesgöttin von Samothrake, die in der einen Hand die Chanel-Stepptasche, in der anderen eine Kamelie hochhielt – eine Anspielung auf das neu eröffnete Musée d'Orsay und seine bedeutende Skulpturensammlung.

Karl Lagerfelds neue Silhouette war nicht weniger auffällig. »Mode ist ein Spiel mit Proportionen«, erklärte er, als er seine neue, gekürzte und über Etuikleidern in aufeinander abgestimmten karierten Wollstoffen getragene »Mikro«-Kostümjacke und das, was er seinen neuen »Parabelrock« nannte, präsentierte: kurze Abendkleider, die vorn flach, hinten dafür hoch und voluminös waren und von bauschigen Tüll- oder Rüschenwolken belebt wurden, die *Women's Wear Daily* als »Entenschwanz-Petticoats« beschrieb. »Ich mag grafisches Volumen«, erläuterte Karl Lagerfeld. »Das hat nichts Steifes an sich. Man kann damit spielen, [kann] es wie Haare schneiden. [...] Couture der 1980er- und 1990er-Jahre ist nichts fürs Museum. Sie ist fürs Leben, den Spaß, das Image«, schloss er.

HAUTE VINYL

Auch mit dieser jungen, frechen Kollektion stellte Lagerfeld wieder einmal die Konventionen des Modehauses Chanel infrage. Er erneuerte die klassische Chanel-Jacke, indem er Tweed in leuchtenden Farben verwendete und das Ganze mit gestepptem Leder, dazu passenden Sonnenbrillen sowie Kaschmirfransen und ultrakurzen Miniröcken kombinierte.

Für seine kurzen, schulterfreien Cocktailkleider mixte er glatte schwarze Vinylstreifen mit duftigem schwarzen Tüll. Der Chanel-Rock wurde sogar wie ein Kleid getragen – mit neuen Proportionen und den berühmten Metallketten, ein Markenzeichen des Hauses, die hier wie Träger verwendet wurden. »Ich mag es, Dinge anders einzusetzen als erwartet«, bemerkte Lagerfeld.

CHANEL

OPERNHAFTE COUTURE

Karl Lagerfeld ließ sich von Jean-Baptiste Lullys Oper *Atys* aus dem 17. Jahrhundert inspirieren, die 1987 im Théâtre de la Reine in Versailles aufgeführt wurde, und schuf eine opulente Haute-Couture-Kollektion mit kostbaren Lesage-Stickereien.

Für den Tag legte er das Chanelkostüm in einer kurvenreichen, eiförmigen Version mit kurzen Jacken, schmalen Taillen und großzügig gerundeten Hüften neu auf. Die Jacken wurden zu Miniröcken getragen und mit großen, stoffbezogenen Tellerhüten und Stoffmuffs mit Pelzbesatz kombiniert.

Für den Abend offerierte Lagerfeld Schößchen-Tuniken mit goldener Bullion-Stickerei und drapierte meterweise edle Stoffe an den Hüften kurzer Cocktailkleider oder langer Corsagenkleider mit Schleppen, was einen spektakulären »Versailles«-Effekt ergab.

WOLKEN UND KAMELIEN

Lagerfelds vor einem bühnenartigen Hintergrund aus weichen Chanel-Wolken präsentierte Kollektion war eine einzigartige Hymne an die Kamelie. Er verwandelte Coco Chanels Lieblingsblume in übergroße weiße Broschen, die an Strickjacken, schwarz-weiße T-Shirts, Gürtel, Halsketten und Hüte geheftet wurden. Kamelien fanden sich auch in einem kräftig-bunten Druck mit kontrastierenden schwarz-weißen Streifen, der bodenlange Kleider, kurze Röcke, Taschen, Regenschirme und Schuhe schmückte.

Nach einer Reihe pastellfarbener Kaschmir-Twinsets und Kostümjacken für den Tag, letztere kombiniert mit passenden Hüten, Mini-Handtaschen und flachen Spangenschuhen aus Lackleder, stellte Lagerfeld kurze, gerüschte Zigeunerröcke und -kleider in hellen Rosatönen für den Abend vor, gefolgt von eleganten schwarzen Miniröcken aus Chantillyspitze, die zu Kaschmir-Tops und Taftmänteln getragen wurden.

CHANEL
CHANEL
CHANEL
CHANEL

FLORENTINERHÜTE UND KUPPELRÖCKE

Nach einer bunten, kapriziösen Prêt-à-porter-Kollektion (siehe Seite 76–79), präsentierte Karl Lagerfeld eine verhaltene, elegante Couture-Kollektion in Schwarz-, Blau- und Weißtönen, klassische Chanel-Farben. »Man kann nicht immer zur selben Musik tanzen«, erklärte er.

Das Chanelkostüm bestand in dieser Saison aus taillierten Jacken und kuppelförmigen Röcken mit weichen Falten oder Kräuseln und starker Hüftrundung – sehr tragbare Formen, die im Kontrast zu spektakulären Florentinerhüten standen. Spitzenbesatz verlieh karierten Jacken eine romantische Note, während helle Tweedkostüme mit Girlandenmotiven aus dem 18. Jahrhundert bestickt und mit Ripsband verziert waren.

Für den Abend ließ Lagerfeld sich vom Werk des Hofmalers Franz Xaver Winterhalter aus dem 19. Jahrhundert inspirieren und präsentierte »Winterhalter-Kleider« mit tiefen Ausschnitten, schmaler Taille, weiten Röcken und meterweise Tüll, Rüschen und Spitze.

TWEEDS UND KAROS

»Ich habe alles Spielerische von Chanel entfernt, aber es wird nicht langweilig werden«, verkündete Karl Lagerfeld bei der Vorstellung seiner neuen Prêt-à-porter-Kollektion.

Karierte Röcke in Rot- oder Grüntönen wurden zu schwarzen Spitzentops und Samtoberteilen getragen und locker geschnittene Hosen mit bequemen Kaschmir-Cardigans und bunten Schals kombiniert, jeweils ergänzt durch Chanel-Baskenmützen. Das alles erinnerte an Fotografien von Coco Chanels Schottland-Ferien mit dem Duke of Westminster und ihrer Freundin Vera Bate in den 1920er-Jahren, die sie in ihren besten ländlichen Tweed-Ensembles zeigen: eine Hommage der 1980er-Jahre an Schottland, viele Jahre bevor Lagerfeld seine Sonderkollektion in Edinburgh zeigte (siehe Seite 532–537).

CHANEL UND SHAKESPEARE

Die Inspiration für diese im Théâtre des Champs-Elysées präsentierte Herbst/Winter-Kollektion fand Karl Lagerfeld im elisabethanischen Zeitalter. »Es gibt Einflüsse aus dem 16. Jahrhundert und einen Hauch Shakespeare«, wie er erklärte.

Die kurz zuvor in der Londoner Royal Academy gezeigte Ausstellung über das Zeitalter des Rittertums hatte ihn dermaßen beeindruckt, dass er laut *Vogue* »das Mittelalter direkt auf die Chanel-Kollektion übertrug: Ein langes schwarzes Abendkleid hatte einen tiefen, herzförmigen Ausschnitt, und ein Samtwams war mit Goldketten bestickt und mit Brüsseler Spitze besetzt.«

Ferner gab es neu proportionierte Kostüme mit schwarzen ausgestellten Röcken, die in der Taille gekräuselt und mit Goldketten gegürtet waren. Als Accessoires dienten Musselinschals, die um den Kopf geschlungen und mit Hüten darüber getragen wurden. Für den Abend präsentierte Lagerfeld Musselinkleider in Schwarz, Rot oder Violett, bodenlange Futteralkleider aus Samt und aufwendig gearbeitete Jacken mit Falten, Stickereien und Halskrausen, darunter eine prächtige, mittelalterlich anmutende Samtjacke mit Stickereien an Kragen und Ärmelabschlüssen, vorgeführt von Inès de la Fressange.

Dem Thema entsprechend war jedes Outfit nach einer Figur von Shakespeare benannt, und so beschloss Ophelia die Schau als Braut in einem langen, drapierten weißen Kleid.

COCO IN BIARRITZ

Lagerfeld brachte Chanel für diese vom Biarritz der 1920er-Jahre inspirierte Kollektion zurück an die baskische Küste. Coco Chanel hatte den berühmten Badeort 1915 zum ersten Mal besucht und dort noch im selben Jahr eine Filiale ihres Pariser Couture-Hauses eröffnet. Das Vorhaben war sofort von Erfolg gekrönt: Wohlhabende Kundinnen aus Biarritz, seit dem 19. Jahrhundert ein bevorzugtes Reiseziel der russischen Aristokratie, und aus Spanien, das im 1. Weltkrieg neutral geblieben war, strömten herbei, um Chanels innovative Kreationen zu bestellen.

Lagerfelds Neuinterpretation des Biarritz-Stils (er nannte die Kollektion »das Biarritz der 1980er-Jahre«) präsentierte Kostüme mit ungepolsterten Schultern – »Ich bin Schulterpolster so leid«, sagte er der *Women's Wear Daily.* »Aber es sieht nicht langweilig aus … wir alle wissen, wie man trickst. Es macht Spaß, aber wenn das jede Saison von allen erwartet wird, kommt doch etwas Langeweile auf.« Dabei waren die Jacken länger als gewöhnlich und wurden kombiniert mit großzügig geschnittenen, fließenden Hosen und halblangen Faltenröcken sowie Matrosenkragen, Shorts mit weiten Beinen und College-Pullis, alles in einer maritimen Farbpalette.

HOMMAGE AN NANCY CUNARD

Karl Lagerfeld präsentierte in dieser Saison eine fließende, leichte Chanel-Kollektion, inspiriert von den raffiniert drapierten und schmuckbesetzten »Cruise«-Kleidern der 1930er-Jahre, wie sie die reiche Erbin und Stilikone Nancy Cunard trug, die sich als Schriftstellerin und politische Aktivistin betätigte. *Vogue* zufolge widmete ihr der Modeschöpfer die Kollektion.

»Alles ist völlig schwerelos, dekonstruiert und fließend, fließend, fließend«, sagte Lagerfeld in *Women's Wear Daily* zur Präsentation seiner »fragilen« Silhouette. »Die Linie bewegt sich etwas vom Körper weg, versteckt ihn aber nie«, fuhr er fort. Die Säume blieben lang. »Alles ist kurz – kurz sieht für mich einfach nicht richtig aus … [wogleich] die meisten meiner langen Röcke mit Durchblick-Effekten und mehreren Schichten spielen.« Und er warnte: »Ich kann nicht sagen, dass ›lang‹ die langfristige Zukunft der Mode wäre, denn so etwas hat die Mode nicht. Das macht sie schließlich aus.«

Die in Lagerfelds folgender Chanel-Kollektion so wichtigen Falten (siehe Seite 98–101) wurden hier mit Faltenröcken aus weichen Stoffen wie Chiffon und Georgette vorweggenommen. Röcke und Kleider wurden zu eleganten flachen Schuhen getragen und mit Gürteln geschmückt, die durch ihren tiefen Sitz auf den Hüften für eine von *Women's Wear Daily* als »optische Täuschung« beschriebene Taille sorgten. An Abendkleidern aus Satin und Seidenchiffon waren Strasselemente befestigt, die Drapierungen hielten oder die Taille betonten.

MINI-TUNIKEN UND COUTURE-STRUMPFHOSEN

Karl Lagerfeld wandte sich in dieser Kollektion von Hosen ab und entschied sich stattdessen für eine Kombination seiner Redingotes, Trompe-l'œil-Pullis und langen, Cardigan-artigen Jacken (wiederaufgegriffen mit »verlängertem und weichem« Rumpf, schmalen Schultern und gerader Taille) mit ultrakurzen Tuniken und passenden Strumpfhosen. Mit dem Argument, sie schmeichelten dem Bein mehr als normale Hosen, bezeichnete er Strumpfhosen aus Rippstrick sogar als »die Hosen der 1990er-Jahre«.

Accessoires waren stark vertreten: Goldene Hüftgürtel mit spiralförmigen Schließen, Broschen und Halsketten waren über plissierte Hemden, Blusen und Kleider mit tiefen Taillen, kurze oder auch lange Abendkleider geschichtet. Bei letzteren wurden Falten mit Drapierungen kombiniert und weiche Stoffe wie Musselin und Georgette eingesetzt, »weil ihre Transparenz mich verlockt«, wie Lagerfeld gegenüber *Vogue* sagte.

»DIE NIE PRÄSENTIERTE KOLLEKTION«

Zu dieser im Palais de Chaillot in den Trocadéro-Gärten präsentierten Haute-Couture-Kollektion war Lagerfeld von einem unveröffentlichten Entwurf von Coco Chanel inspiriert worden: der Jacke, auf der ihre Kollektion von 1939 aufbaute, die sie jedoch wegen des Kriegsausbruches nie in einer Schau zeigen konnte.

In Abwendung von den kastigen Jacken und kurzen Röcken früherer Kollektionen war Lagerfelds Version von Mademoiselles Entwurf von den Schultern bis zur Taille schmal und eng anliegend, bevor sie über den Hüften ausschwang. Diese den weiblichen Formen stärker angepassten, kurvenreicher geschnittenen Jacken »sind für Frauen, die nicht versuchen, wie ihre männlichen Begleiter auszusehen«, sagte er der *Vogue*.

»Alles steht und fällt mit den Nähten, und es ist sehr couture-orientiert im Sinne von Maßarbeit«, erklärte Karl Lagerfeld. »Nicht sexy mit billigen Kurven, sondern subtil und raffiniert.« Kombiniert mit weichen Musselin- und Georgette-Röcken, gab es Jacken für jede Tageszeit: »Frauen möchten dieses unkomplizierte Gefühl auch abends haben«, meinte der Couturier. Von gesteppten Lamé- bis zu luxuriösen schwarzen, von Goldstickerei bedeckten Samtjacken reflektierten auch sie das Gold-Thema, das sich durch die gesamte Kollektion zog.

GOLDENE TAUE

Zu Begrüßung des neuen Jahrzehnts präsentierte Karl Lagerfeld eine Kollektion in Schwarz-, Weiß- und Goldschattierungen mit einer weichen, leichten und lässigen Silhouette. »In den 1990er-Jahren wird das Leben weniger formal sein, deshalb muss sich auch die Kleidung ändern«, sagte er der *Vogue*. »Bewegung und Freiheit sind jetzt die beiden wichtigsten Begriffe in der Mode ... der Körper und die Kleidung der 1990er basieren auf der Freiheit des Individuums.«

»Die steifen 1980er sind vorbei«, gab Lagerfeld bekannt und präsentierte den Körper umschmeichelnde Ensembles aus Georgette und Chiffon, die den fließenden Fall der Stoffe hervorhoben. »Es gibt nichts Schöneres als ein Stück unberührten Materials, aber da man das nicht anziehen kann, ist frei am Körper drapierter Stoff am zweitschönsten«, fügte er hinzu. »Der Look ist körperbetont, aber nie zu eng«, erklärte der Modeschöpfer. »Ich spiele überall mit Asymmetrien.«

Weiß in allen Schattierungen, darunter die Cremetöne von perlenbesetzten Kostümen, zu denen sich Lagerfeld von seinem Landhaus Le Mée inspirieren ließ, in dem, wie *Vogue* verriet, »eine wahre Flut weißer Objekte an den Stil von Elsie de Wolfe und Syrie Maugham erinnert«. »Alles begann, als ich zwei weiße Palmenlampen des französischen Designers Serge Roche kaufte, die er 1935 für Elsie de Wolfe gemacht hatte«, sagte Lagerfeld. »Momentan bin ich ganz auf surreale Einflüsse aus – und einen Hauch Barock.«

Diese Stimmung zeigte sich auch an den dicken goldenen geschlungenen Kordeln, die die bekannten Chanel-Metallketten ersetzten und für die sich Lagerfeld von den Tauen im Hafen seiner Heimatstadt Hamburg Anfang des 20. Jahrhunderts inspirieren ließ. Sie zogen sich in Form von spektakulären Halsketten, Gürteln, Taschenriemen, Broschen und Ohrringen durch die gesamte Kollektion und waren teilweise sogar mit Perlen besetzt.

DAS KOSTÜMKLEID

Die erste Haute-Couture-Kollektion der neuen Dekade präsentierte eine elegante grafische Silhouette für den Tag, mit schmalschultrigen Jacken, die überwiegend in Schwarz-Weiß-Tönen mit einigen rosafarbenen Akzenten gehalten war.

Lagerfeld stellte eine Innovation vor: das »Kostümkleid«, »eine kurvenreichere Variante des klassischen Mantelkleides«, wie *Vogue* schrieb. Die weiche, aber eng anliegende, von Lagerfeld als »modelliert« bezeichnete Silhouette wurde durch einen »kreisförmigen Schnitt« erzielt, bei dem die Nähte für den perfekten Sitz »rund um den Körper« verliefen. Begleitet wurde das Kleid von spektakulären Hüten mit breiten Krempen.

Die Abendmode, darunter schwarze Corsagen aus Chantillyspitze, ergänzt durch schwarze Musselin-Überkleider, war von Spitze und Transparenz geprägt und mit riesigen Perlen geschmückt, die an übergroßen goldenen Armreifen, Ohrringen und Halsbändern prangten.

DIE NEUE CHANEL-TASCHE

Lagerfeld widmete diese Kollektion der Neuerfindung der klassischen Chanel-Stepptasche in unzähligen Materialien, Formen und Proportionen. Eine überdimensionale Nachbildung der legendären Tasche bildete den Hintergrund für den Laufsteg, und die Pressemappen auf den Stühlen sahen aus wie Samttaschen mit Kettengriffen, um das Thema hervorzuheben.

Die traditionelle Tasche tauchte als Oversize-, Samt- und Lederversion auf, zeigte sich in leuchtenden Farben, war in scherzhafter Anspielung auf das französische Baguette übertrieben lang und schmal und wurde von Lagerfeld sogar in einen Hut verwandelt.

Seine Vorliebe für spektakulären Goldschmuck (siehe Seite 106–113) zeigte Lagerfeld auch diesmal, mit großen, mit Schmucksteinen besetzten Kettengürteln, die tief auf den Hüften saßen, sowie mit imposanten goldenen Armreifen, Broschen und Ohrringen in freien Formen.

Präsentiert wurden auch modische Parkas mit Goldknöpfen, darunter luxuriöse gesteppte Versionen und beigefarbene, mit Satin besetzte Seiden-Dufflecoats, zu denen schwarze Leggings getragen wurden. Inspiriert zu den Parkas wurde Lagerfeld durch Susan Gutfreund, sagte er der *Vogue*. »Für mich eine Frau mit großartigem Stil. Sie trug in Paris den ganzen Winter lang schwarze Ski-Parkas über ihrer Tageskleidung. Deshalb beschloss ich, einen Chanel-Parka zu machen.«

STIEFEL UND KLEIDER

Karl Lagerfeld taufte diese Kollektion »Madonna trifft Jayne Wrightsman«. Als Location für die Präsentation wurde eine Disco auf den Champs-Elysées gewählt, in der eine Schiene für eine fahrbare Videokamera installiert wurde, um den Moment für die Nachwelt festzuhalten.

Gezeigt wurden perfekt gearbeitete Kostüme, die eine neue, leicht überschnittene Schulter aufwiesen. »Sie ist leicht heruntergezogen und dem Körper angepasst. Überhaupt, was bringt Couture, wenn sie nicht der Figur angepasst ist? Die neue schmale Jacke verleiht einen wunderbaren Körper«, sagte Lagerfeld in *Women's Wear Daily*. Die Jacken in verschiedenen Längen wurden mit kurzen Röcken kombiniert. Dazu wurden, ganz unüblich für Chanel, auffällige oberschenkelhohe, mit Tweed-, Samt- oder Goldstickerei verzierte Stulpenstiefel getragen – angeblich fand Coco Chanel freie Knie hässlich, weshalb sie auch Miniröcke verschmähte.

Am spektakulärsten waren die vom Modeschöpfer als »Heim-Galaroben« bezeichneten perlenbesetzten Abendkleider aus goldbesticktem Satin, die mit Miniröcken kombiniert wurden. »Es gibt Heim-Galakleider, das sind bademantelähnliche Coats über sexy kurzen Kleidern … Man kann das eine auch ohne das andere tragen«, sagte Karl Lagerfeld.

Die Pracht der Ensembles wurde durch kostbare Schmuckknöpfe noch betont: »Sie sehen aus wie winzige Fabergé-Eier mit emaillierten Uhren darauf. Eine unglaublich kunstvolle Arbeit«, sagte Lagerfeld. Weitere Akzente wurden durch Schmuck in Tierformen gesetzt, darunter große Krokodils-, Schildkröten-, Bienen- oder Eidechsenbroschen mit mosaikartigen Steinen in leuchtenden Farben, die das Mosaikmotiv des Schmucks in Lagerfelds letzter Chanel-Kollektion wieder aufgriffen (siehe Seite 114–117).

»CITY-SURFER«

Für diese farbenfrohe, verspielte Frühjahrskollektion bot Lagerfeld eine humorvolle Interpretation von Chanels legendärsten Markenzeichen an: Die Kamelie wurde überdimensioniert und in leuchtenden Farben an den Köpfen der Models befestigt, während leichte Röcke mit echten und bunten künstlichen Perlensträngen überhäuft wurden und diese als Gürtel auf hautengen Leggings und Radlerhosen zum Einsatz kamen.

Chanels Stepptaschen waren allgegenwärtig und wurden zu so unterschiedlichen Outfits wie kurzen Chanelkostümen, Strandkleidung und sehr schicken Chanel-Catsuits getragen. Lagerfeld präsentierte einen neuen Look, den er »City-Surfer« nannte, weil er sich »perfekt eignet zum Eintauchen ins Nachtleben [und zum Surfen] von Paris nach Rom nach London und New York.« Wie seine Prêt-à-porter-Kollektion von Frühjahr/Sommer 2003 war auch diese vom Surfsport inspiriert (siehe Seite 314–315). Das ist »eine gute Art, eine Jacke zu allem Möglichen zu tragen – zu Leggings oder einem kurzen Chiffonrock. Ich habe einfach den sportlichen Surferstil genommen und ihn mit Pailletten in den Farben der kalifornischen Wellen übersät. Das Surfboard unter dem Arm von Linda Evangelista sollte der Schau eine heitere Stimmung und Schwung verleihen«, sagte Lagerfeld in *Vogue*.

Coco Chanels bekannte bodenlange, gestufte »Zigeunerkleider« der 1930er-Jahre wurden ebenfalls den 1990er-Jahren angepasst. Sie erschienen in einer sportlicheren und freizügigeren, trennbaren Version, bei der die Röcke in der Taille durch ein überdimensioniertes Band festgehalten wurden, das die Models am Ende der Schau lösten, um schwarze Catsuits zu enthüllen.

PERLEN, SEIDE UND VIDEOKAMERAS

Diese luxuriöse Haute-Couture-Kollektion präsentierte jede Menge Seide, Tüll, Perlen und ausdrucksvollen Schmuck, jeweils in den klassischen Chanel-Farben Schwarz, Weiß und Marineblau sowie Einsprengsel von Rosa und Gelb.

Die Kollektion konzentrierte sich vor allem auf kostbare Kostüme und Abendkleidung und bezog Elemente mit ein, die Lagerfeld in seiner letzten Prêt-à-porter-Kollektion erstmals gezeigt hatte (siehe Seite 122–125), wenn auch in etwas konservativeren »Couture-Fassungen«. Die überdimensionierten Kamelien kamen noch vor, dienten aber eher als Zierde für Kostümjacken denn als neckische Haar-Accessoires, und die abtrennbaren Röcke der vergangenen Kollektion hatten zu dem Entwurf von Organza-Schürzenröcken angeregt, die hier über das klassische Kostüm anstatt über Catsuits gebunden wurden. »Ich nenne ihn fliegenden Kuppelrock«, sagte Lagerfeld in *Women's Wear Daily.* »Er betont die Taille und verleiht den Hüften Volumen.«

Weitere zeitgenössische Anklänge offenbarten sich bei den Models, die den Laufsteg mit brandaktuellen Videokameras in den Händen passierten und Faltenröcke mit fliegenden Bändern in Pink trugen, von Lagerfeld »fliegende Kilts« getauft: »Die Ripsband-Kostüme bestehen aus einfachen Viskose- und Baumwollbändern ... der Kunde zahlt in erster Linie für die Verarbeitung«, denn ein Bänderkostüm mit Rock benötigt zu seiner Herstellung 190 Stunden, wie Lagerfeld der *Vogue* sagte. Die Schau endete mit einer sehr modernen geschiedenen Braut, Linda Evangelista, in Begleitung »ihres« kleinen Jungen.

»NOUVEAU RAPPER«

»Die neue Regel lautet: keine Regeln«, sagte Karl Lagerfeld in *Vogue* zur Vorstellung der Kollektion, die er als »Nouveau Rapper« beschrieb. »Um mit einem Stil Anklang zu finden, muss man jetzt etablierte Standards völlig neu überdenken«, fuhr er fort. »Wir müssen mit der Mode bis ans Äußerste gehen, mit goldenem Stretch-Lamé für den Tag oder einer ledernen Biker-Jacke zum Chiffonkleid ... Ich finde, etwas Vulgarität, die all die Elemente und Cross-Kulturen der heutigen Welt widerspiegelt, verleiht der Mode eine Prise Vitalität, eine neue Energie, wie Gewürze einem langweiligen Essen.«

Tatsächlich wurden etablierte Modestandards überdacht in einer Kollektion, die mit Denim-Outfits eröffnet wurde: ausgefranste Jeansröcke, mit Denim besetzte Tweedkostüme sowie Denimkostüme mit Tweedbesatz, Jeans, die unter Abendkleidern getragen wurden und sogar Denimstiefel. »Chanel selbst hat gewagtere Sachen gemacht als das, als sie Jerseykleider aus einem Material für Männerunterwäsche herstellte, also warum nicht Denim? Alle außer mir tragen es«, sagte Karl Lagerfeld.

Der Couturier interpretierte den Bänderrock neu, den er in seiner vorhergehenden Haute-Couture-Kollektion für Chanel lanciert hatte (siehe Seite 126–129), und zeigte ihn diesmal in verschiedenen Farben und Längen. Er präsentierte sogar gewagte »Röcke«, die ausschließlich aus Goldketten bestanden und über Netz-Catsuits getragen wurden.

Ein anderer wichtiger Trend war Leder: Gesteppte Caps, von Rappern entlehnt, schwarze Ledercorsagen, lederne Bomberjacken und gesteppte Lederjacken wurden zu Abendkleidern aus Chiffon, Faille und Taft sowie zu Motorradstiefeln getragen.

Lagerfeld präsentierte ferner eine wahre Flut überdimensionierter Gold-Accessoires. »Vergessen Sie bei Accessoires die Begriffe ›elegant‹, ›vornehm‹, ›korrekt‹. Ich bin dafür, die klassischen Chanel-Attribute zu verbannen«, sagte er in *Vogue*. »Nehmen Sie meterweise Metallketten und Gürtel, und tragen Sie sie von früh bis spät.«

Selbst der Laufsteg blieb nicht, wie er war: Auf einer elektronischen Anzeigetafel an seinem Ende stand »Tweed technicolour«, und »Attachez vos ceintures« (Bitte anschnallen) zu lesen, untermalt vom Soundtrack aus dem Film *Shaft* und vom Song »Born to be Wild«.

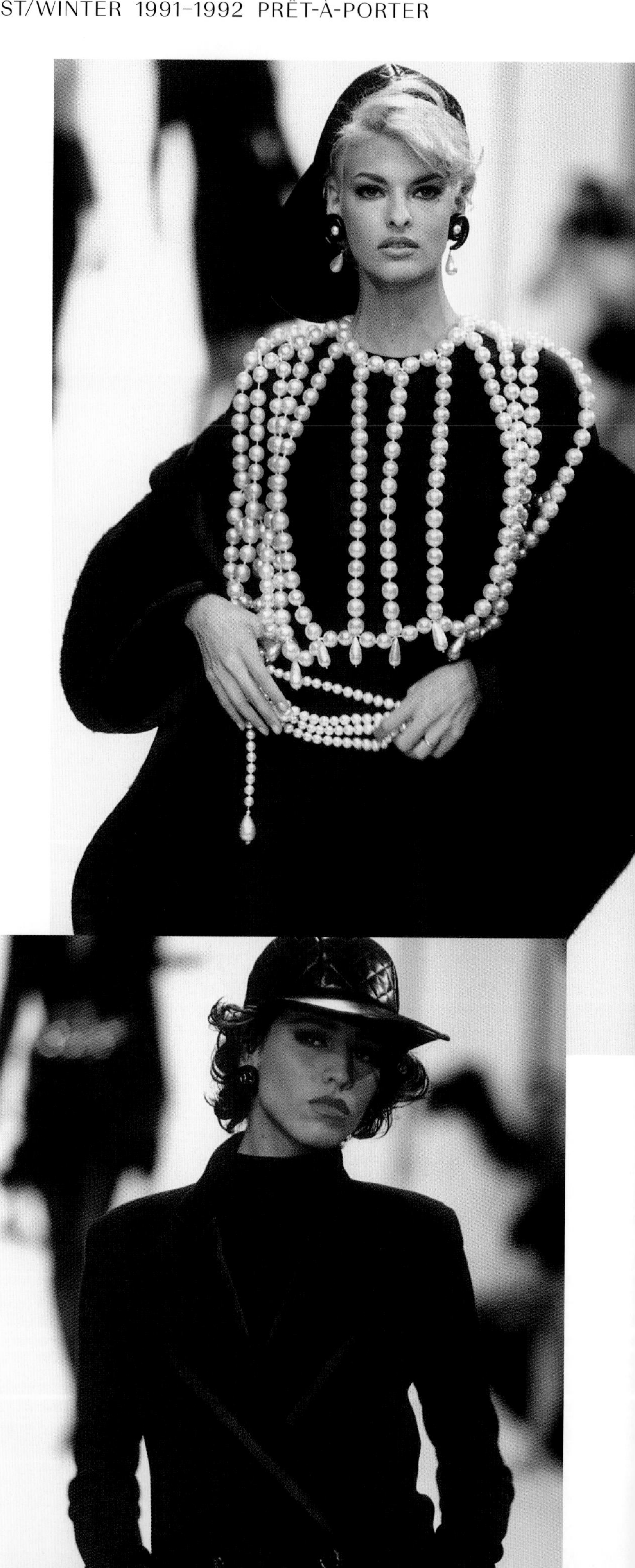

CHANEL

CHANEL
CHANEL

CHANEL

TÜLL-EXTRAVAGANZA

Karl Lagerfelds in der École des Beaux-Arts in Paris präsentierte Couture-Kollektion war federleicht und konzentrierte sich vor allem auf einen Stoff: schwarzen Seidentüll, speziell angefertigt von einer Manufaktur in Lyon, der Stadt der Seide, da dieses Material normalerweise nicht mehr produziert wird.

Der Couturier verwendete meterweise schwarzen Tüll für Jacken, Kleider, Röcke und Mäntel. »Der große Vorteil ist, dass er sehr wärmt, weil er aus echter Seide ist, und dabei sehr leicht ist«, sagte Lagerfeld zu *Women's Wear Daily* und versicherte, seine drapierten Tüllmäntel seien so warm wie Pelz.

»Mit all diesem schwerelosen, gefältelten Tüll werden meine Kundinnen wie auf Wolken schweben«, sagte Lagerfeld und taufte die luftige, elegante Silhouette der Kollektion »City-Ballerina«. »Für die City-Ballerina, die durch die tägliche Langeweile des Lebens gleitet und [scheinbar] wie von Zauberhand schwebt«, in diesem Fall nicht mit Ballettschuhen, sondern mit flachen durchsichtigen Gummistiefeln. Die Models stolzierten zu einem Rap-Remix von »These Boots are Made for Walking« über den Laufsteg.

Die spektakulären, von Hutmacher Philip Treacy entworfenen Hüte setzten ebenfalls den Akzent auf Tüll, gelegentlich zusammen mit Federn oder Plastik. Gezeigt wurden so atemberaubende Modelle wie der »Chanel-Kopfkäfig«, der »Wikinger« mit »Hörnern« aus Federn, die mit zwei Kamelien am Hut befestigt waren, oder der »Durchsichtige« mit transparenter Plastikkrempe.

»IM ZAUBERWALD«

Bereits Jahre vor seiner Bauernhof-Kollektion für Chanel (siehe Seite 456–459) sah sich Karl Lagerfeld in der Natur nach Ideen um. Er offerierte Pilztaschen, mit Beeren beladene, von Hutmacher Philip Treacy für Chanel entworfene Strohhüte, goldene Feigenblätter, die wie bei Adam und Eva getragen wurden, Zweig-Halsketten, Arme voller Weizenähren (eines von Coco Chanels Glückssymbolen), Efeu-Girlanden garniert mit Kamelien und vieles mehr. »Das gehört alles zu meinem Besuch im Zauberwald«, sagte der Modeschöpfer.

Chanels legendäres Kostüm geriet trotzdem nicht in Vergessenheit. »Nimm die kurze, gemütliche Jacke und dazu einen langen, schmalen Rock, und schon hast du die neueste Proportion der Stadt«, sagte Lagerfeld der *Vogue*. »Nur ist das Tragegefühl jetzt natürlicher ... Man zieht ein Männerunterhemd darunter, um es zu erden. Das ist moderner, passt aber immer noch zu einem gewissen Lebensstil.«

I
LOV
COCO

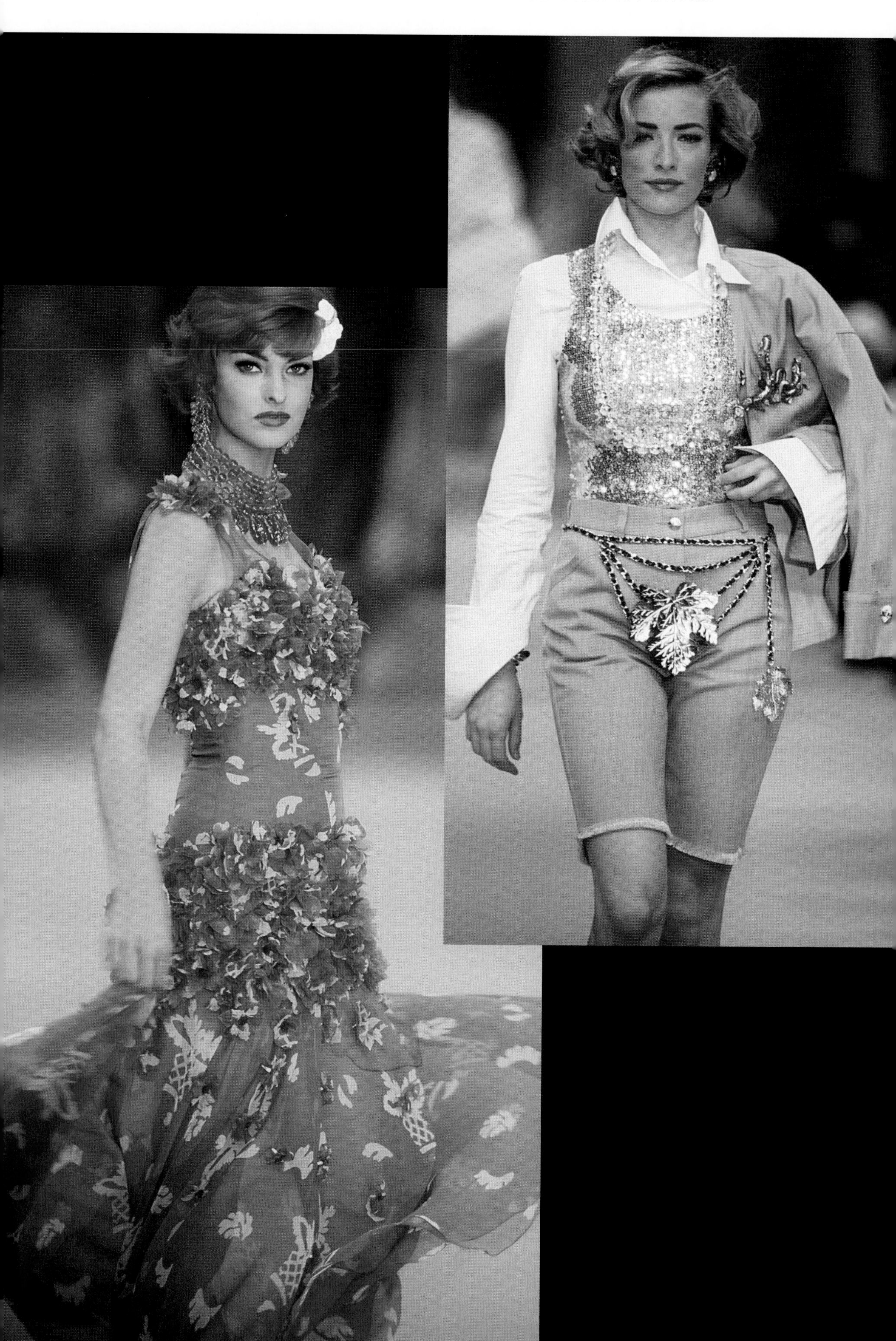

»DER ZERSTÖRTE ROCK«

Karl Lagerfeld wirbelte die Markenzeichen des klassischen Chanel-Stils in dieser Haute-Couture-Kollektion kräftig auf. Die Chanel-Jacke wurde in einer handschuhengen Version mit riesigen Knöpfen präsentiert, was einen Reißverschluss am Rücken erforderlich machte. »Wenn die Knöpfe so groß sind, kann man so eine enge Jacke nicht zuknöpfen«, sagte er in *Vogue*. »Und ich wollte eine sehr schmale, klare Silhouette mit langen Röcken, die ziemlich viel Bein zeigen.«

Die Silhouette war »teuflisch körperbetont«: Röcke, die unterhalb des Knies endeten und in engen, geschlitzten Reißverschluss- und sogar aufgerissenen Varianten präsentiert wurden. »Lang, aus Stretchstoff, das ist der heiße Look … es gibt keine Mikro-Minis«, sagte Lagerfeld. Zerfetzte Chiffon- oder Organzaröcke mit unregelmäßigen Säumen, von Lagerfeld »der zerstörte Rock« genannt, waren inspiriert von einem seiner Lieblingsbücher, *Zauber der Vergänglichkeit*.

Auch die traditionellen Chanel-Stoffe wurden neu interpretiert, mit Jacken aus leuchtend bunten Pailletten und Tweed ähnelndem Raffiabast mit geflochtenen Lederbesätzen, von Lagerfeld »Lederspitze« genannt. Leder ersetzte auch die klassische Chanel-Goldkette in dieser Kollektion, die eine Vielzahl an Lederquasten und sogar Lederjeans mit hohen Taillen präsentierte.

Auch echte Perlen waren vom Laufsteg verschwunden und durch bunte Glasperlen ersetzt worden, während sich von Hutmacher Philip Treacy entworfene spektakuläre, »wolkenartige« Hüte und extrem hohe Kork-Plateauschuhe mit Gladiatoren-Schnürbändern von der strengen Silhouette abhoben.

DER LEDERLOOK

Karl Lagerfeld knüpfte an Themen an, die er in der vorhergehenden Couture-Kollektion lanciert hatte (siehe Seite 148–153)), und brachte – jedoch in einer vereinfachten Version – überdimensionierte Schmuckknöpfe (viele seiner Kostüme hatten seitliche Reißverschlüsse) und, am wichtigsten, Leder zurück auf den Laufsteg.

Leder war überall vertreten, in Rot- oder Schwarztönen: von koffergroßen Stepptaschen bis hin zu bodenlangen Mänteln, engen Kleidern, Kostümjacken, Bleistiftröcken, Overalls, eng anliegenden Hosen und Boxer-Outfits mit Chanel-Schriftzug. Sogar die traditionellen Tweedjacken wurden in diesem Stil neu aufgelegt. Sie waren mit ledernen Westen, Ärmeln oder Revers ausgestattet oder wie klassische Motorradlederjacken geschnitten und mit schwarzen Lederröcken kombiniert.

Zu lauter Discomusik von Donna Summer und den Sister Sledge über Abba bis hin zur Titelmelodie von *Dynasty*, zum Finale der Schau, präsentierte Lagerfeld auch hautenge goldene Seidenkleider, Blusen und Hosen, die zu weiten, zweireihigen Lodenmänteln und -jacken getragen wurden – die Inspiration für letztere kam von historischer bayerischer Militärkleidung.

DIE 1930ER- BEGEGNEN DEN 1970ER-JAHREN

Von *Women's Wear Daily* umschrieben als »Jackson Pollock trifft Janis Joplin«, war Lagerfelds kühne Haute-Couture-Kollektion von den 1930er- und den 1970er-Jahren inspiriert. »Sie hat die Stimmung beider Jahrzehnte, nicht nur die Unbeschwertheit und Unschuld der 1970er, sondern auch den gewagten Expressionismus der 1930er-Jahre«, sagte er in *Vogue*. »Das Verlangen nach Selbstdarstellung in [diesen] beiden Dekaden ist [auch] heute sehr ausgeprägt, weil wir immer mehr zu einer Gesellschaft von Zuschauern geworden sind.«

Die Silhouette selbst blieb einfach: »Entweder ganz eng oder weit und fließend ... Das Verrückte kommt von den Accessoires«, fügte Lagerfeld hinzu. Er hatte den Hutmacher Philip Treacy gebeten, Hüte zu entwerfen, die aussahen, »als hätte ein Kind sie in seiner Spielecke gemacht«, und eine Reihe perfekt geschnittener Jacken dazu entworfen: lang oder kurz, Gehröcke, kastenförmig oder eng anliegend. »Man braucht eine Jacke, so wie man eine Behausung braucht. Der Rest ist optional«, sagte Lagerfeld.

Das Finale gipfelte in einer wahren Farborgie mit Tweed-Sneakers, lackartig bemalten Perücken und besprühten Chanel-Taschen. Die *Sunday Times* beschrieb es als »psychedelische Montage von Patchwork-Samtkostümen und -kleidern, Stickereien und Applikationen«. Lagerfeld sagte in *Women's Wear Daily*, dass die Stickerei aussehen sollte wie »das Innere einer Müllpresse in einem Haus von reichen Leuten am Tag nach Weihnachten«. »Man muss etwas riskieren, sonst macht es keinen Spaß«, schloss er.

HIGH-FASHION-UNTERWÄSCHE

Karl Lagerfeld definierte in dieser Kollektion den Chanel-Stil für Unterwäsche neu und präsentierte weiße Slips mit Chanel-Schriftzug auf dem Bund. »Frauen haben den Männern alles andere gestohlen, warum dann nicht auch ihre Unterwäsche?«, sagte er der *Women's Wear Daily.* »Außerdem ist die Form äußerst schmeichelhaft … weiß, rein, frisch … es kann ja nicht überall um uns herum nur Dunkelheit und Trübsal sein.«

Der Modeschöpfer präsentierte außerdem lange figurbetonende Korsagen, die bis zu den Hüften reichten. Dazu wurden kurze Bolerojacken und weiße Leinenhosen mit weiten Beinen getragen, die von einer Fotografie Coco Chanels in den Ferien auf der Yacht des Duke of Westminster inspiriert waren. »Das sind einfach die momentanen Trends, so gemacht, als wäre Coco heute 25 Jahre alt«, fügte er hinzu.

PARIS
CHANEL

CHANEL
CHANEL

CHANEL
CHANEL

TAILLEUR VERSUS FLOU

Karl Lagerfeld mixte für diese Haute-Couture-Kollektion romantischen Chiffon mit leichtem Tweed, was er als »entspannten Luxus, ohne jegliche Aufdringlichkeit« beschrieb.

»Es ist eine Mischung aus strenger Schneidertechnik [*tailleur*] und weich [*flou*] – ganz leichte Tweedjacken und Kleider mit Blumenprint, viel Transparenz«, erklärte der Modeschöpfer. »Einerseits gibt es die ›überkonstruierten‹ Jacken mit den sehr schmalen Taillen der 1950er, andererseits ›unterkonstruierte‹ Kleider mit der Weichheit der 1930er.«

Zu den Kleidern wurden Accessoires wie Kreuze aus Bergkristall oder solche mit schweren Achateinlagen getragen, während in der Abendgarderobe ein überraschendes Element auftauchte: Kunststoff, in Form verspielter transparenter Plastik-Büstenhalter, stäbchenverstärkter Corsagen und langer goldfarbener Schürzen.

WEISSE HEMDEN UND STIEFEL

»Man muss aufpassen mit zu viel Straße[nlook], sonst sieht bald alles gleich aus ... zu viel Underground ist langweilig, und zu viel Upper Class ist langweilig – man muss genau dazwischen bleiben«, sagte Lagerfeld der *Vogue* über die Kollektion. Mit ihr begann er, sein Motto in die Praxis umzusetzen und den klassischen Chanel-Stil mit einer Portion Respektlosigkeit aufzulockern.

Die legendären Strickjacken waren noch präsent, wurden aber mit großen, locker herabhängenden Baumwollhemden mit fliegenden Zipfeln über langen Unterhosen kombiniert: »Das ist ein leichtes, lässiges Gefühl – fast wie ein Nachthemd für den Tag«, sagte Lagerfeld. Er nahm sich auch Jeans vor, besetzte sie mit Tweedborten und verpasste den Taschen das Doppel-C-Logo.

Damenhafte Pumps wurden verbannt, dafür gab es alle möglichen Stiefel, von Moonboots mit Affenfell und Goldketten bis hin zu schwarzweißen, mit dem Doppel-C geschmückten Cowboystiefeln. »[Stiefel] sind die einzige Fußbekleidung, die zu den derzeitigen Proportionen passt«, sagte Lagerfeld der *Vogue*. »Sie sehen zu den weichen, fließenden Stoffen und dem aktuellen Schnitt der Hosen, Kleider und Röcke sehr gut aus. Ich mag den Musketier-Look bei Frauen: Strumpfhosen, eine lange, ausgestellte Jacke und diese langen Stiefel mit kleinem Absatz.«

»ULTRAKURZ«

»Ultrakurz ist die große Überraschung der Saison«, verkündete Karl Lagerfeld. Nach einer Periode der langen Säume (siehe Seite 148–154) kürzte er sie auf Oberschenkellänge und kombinierte Tweed-Mikro-Kleider und Mikro-Röcke mit dicken Strumpfhosen, Wandersocken und flachen Wanderstiefeln aus Samt zu einem aktiven, urbanen Look. Dieser wurde Jahre später für die Prêt-à-porter-Kollektion von Herbst/Winter 2011–2012 weiterentwickelt, die schwere Stiefel und Socken zeigte (siehe Seite 498–501).

»Vergessen Sie nicht, dass Länge bei mir meistens transparent war, sodass man viel Bein und Bewegung sah«, sagte der Designer zu *Women's Wear Daily*. »Aber als das von allen kopiert wurde, musste ich mir etwas Neues einfallen lassen ... diese Kürze zu flachen Schuhen und Söckchen sieht eher nach Tiroler Schulbub in kurzen Hosen aus, als diese übersexualisierte Kürze der 1980er, die man zu gepolsterten Schultern trug.«

»Jetzt sind Abendkleider genauso handgestrickt wie Socken, mit passenden Fäustlingen und hübschen Söckchen, und dazu werden Springerstiefel aus Samt getragen«, so Lagerfeld weiter. »Dann kommt noch ein wenig Tüll oder zarte Stickerei dazu, denn üppig mit schwer funktioniert nicht – oder nur ein paar echte Goldblätter ins Haar. Für den Tag gibt es weite Jerseyhosen aus Kaschmir und Seide. ... Um zu überleben, muss Couture nahe am Alltag sein. Sie muss denselben Geist atmen wie Prêt-à-porter, nur mit anderen Stoffen und Techniken«, schloss der Designer.

»DAS NEUE KORSETT«

Karl Lagerfeld stellte das von ihm so bezeichnete »neue Korsett« vor, um die Taille zu betonen – »den Teil des Körpers, der so gut aussieht, wenn er schlank und definiert ist«, erklärte er in *Vogue*. Er schuf ein neues »vierteiliges Minikostüm« für Chanel, bestehend aus: Bustier (oder T-Shirt; Blusen wurden verbannt), Jacke, Mikro-Minirock und Taillenkorsett, alles aufeinander abgestimmt in farbenfrohem Tweed, besetzt mit Flechtborten. »Nach der ganzen dunklen Mode musste wieder Farbe her – [ich habe] gespielt wie ein Kind mit seinem neuen Farbkasten.«

Lagerfeld offerierte auch Bondage-T-Shirts mit integriertem BH zu überdimensionierten Rapper-Jeans oder schwarzen Bermudashorts, die an Hosenträgern mit Chanel-Schriftzug hingen. »Hier geht es um Eleganz und innere Haltung«, kommentierte der Modeschöpfer.

CHANEL

CHANEL
CHANEL
CHANEL
CHANEL
CHANEL
CHANEL

KÄFIG-HÜTE UND TOURNÜREN

Karl Lagerfeld verlieh dieser Haute-Couture-Kollektion eine surrealistische Note durch gefiederte Käfig-Hüte, die die Gesichter der Models verhüllten und laut *Women's Wear Daily* an einen Motorradhelm mit Visier und schwarzen Federn erinnerten. »Wie Autos mit getönten Scheiben«, meinte er. »Du kannst die Welt sehen, aber die Welt sieht dich nicht.«

Das klassische Chanelkostüm erschien mit neuen Proportionen, sehr kurzen Röcken und langen, geraden Jacken, die die Miniröcke fast vollständig verdeckten, kombiniert mit einfachen weißen Seidenblusen mit Schleifen. Die locker geschnittenen Jacken »wirken eher wie Kleider«, fand Lagerfeld. »Sie sind ein wenig von den langen Crêpe-de-Chine-Hemdjacken beeinflusst, die meine Mutter zeitlebens trug.«

Abendmode mit Taillenbetonung (»wie ruhige Nachtkleider«) war aus fließenden, durchscheinenden Stoffen wie Chiffon gearbeitet. Dabei wurden einfach geschnittene Oberteile mit kunstvoll drapierten Kleidern kombiniert. »Ich wollte Chiffon so leicht wie Luft, wie Dunst, der über Paris hängt«, scherzte Lagerfeld.

Inspiriert von Fotografien, die Coco Chanel in einem extravaganten Kleid im Stil des 19. Jahrhunderts samt Tournüre und Schleppe zeigen, griff Lagerfeld sogar die Tournüre für seine Abend- und Hochzeitskleider auf. »Es geht darum, die Tournüre schwerelos zu machen und über einem einfachen, aber hervorragend geschnittenen Musselinkleid anzubringen – das ist modern«, sagte er der *Vogue*.

PELZ UND KINO

Passend zum Pelz-Trend erneuerte Karl Lagerfeld in seiner Prêt-à-porter-Kollektion das klassische Chanelkostüm mit extravaganten Kunstpelz-Besätzen in Neonfarben. »Es geht um Freiheit und Spaß, nach all den dunklen Jahren in einer dunklen Welt«, erklärte er.

Die Accessoires waren zwar in ihrer Anzahl im Vergleich zu früheren Kollektionen begrenzt (»Ich mag in dieser Saison nicht allzu viele Accessoires«, sagte Lagerfeld), wurden aber in diesen fröhlichen und witzigen Look mit einbezogen, von Handyhüllen, die mit Schmucksteinen besetzt waren, bis zu Wasserflaschenhaltern aus miteinander verdrehten Chanel-Goldketten, die denen aus der Sportstunden-Szene des Kultfilms *Clueless – Was sonst!* ähnelten.

Die Kulisse der Schau spielte aufs Kino an – Lagerfeld nahm hier gewissermaßen seinen Kommentar zu Robert Altmans Modefilm *Prêt-à-Porter* vorweg, der im Dezember 1994 in die Kinos kam. *Vogue* schrieb, dass Lagerfeld »seine eigene *Cinema-vérité*-Version mit einem Regiestuhl, einer Filmkamera-Attrappe und Filmleuchten direkt auf den Laufsteg brachte«.

FEIER DES BUSTIERS

Das bereits in den vorhergehenden Kollektionen für Chanel thematisierte Korsett stand im Mittelpunkt dieser Haute-Couture-Kollektion, doch konzentrierte sich Lagerfeld nun eher auf das Bustier als auf das Taillenkorsett, das er im gleichen Jahr lanciert hatte (siehe Seite 180–183).

»Alles ist akkurat und konstruiert ... und alles basiert auf dem Bustier«, erklärte Lagerfeld und nannte den Look »die neue Sauberkeit. Kein Getue, nichts Ungeordnetes, alles in HD, wie man im Fernsehen sagt. ... Das Bustier unter der Jacke macht die Passform perfekt – ein schmaler Brustkorb, ganz schmale Ärmel und perfekte, kleine eckige Schultern«, sagte er der *Women's Wear Daily* und fügte hinzu: »Das hat nichts zu tun mit den Power-Ärmeln der 1980er – die brauchen kein Revival.«

Die langen, eng geschnittenen Jacken wurden mit Glockenröcken kombiniert, die auf den Hüften saßen und knapp oberhalb des Knies endeten. »Sie dürfen keinesfalls die Taille berühren, sonst sehen sie aus wie altmodische Bauernröcke«, fügte Lagerfeld hinzu.

MIKRO-KOSTÜME

Die Riviera diente als Inspiration für die Kulisse, vor der die Frühjahr/Sommer-Kollektion für Chanel präsentiert wurde, die eine der bisher freizügigsten von Lagerfeld war. Das Chanelkostüm war geschrumpft und geschlitzt, die Jacke tauchte in einer engen, gekürzten, schmalschultrigen Form auf, die mit sehr kurzen Röcken mit hoher Taille kombiniert wurde. Ein Schlitz am Vorderteil entblößte passende Tweed-Unterwäsche, »winzig und körperbetont«, um Karl Lagerfeld zu zitieren.

Das Finale bestritten 30 Coco-Klone in schwarzen Tops, Perlenketten, weißen Leinenhosen mit hoher Taille, schwarz-weißen Espadrilles und mit Kamelien dekorierten Turbanen. Die Models wurden auf den Schultern athletischer männlicher Models über den Laufsteg getragen und stellten eine Szene aus einem Foto von 1937 nach, das Coco Chanel, in den Ferien in Südfrankreich, in einem ähnlichen Outfit zeigt. Dort thront sie auf den Schultern des Ballets-Russes-Tänzers Serge Lifar, mit dem sie befreundet war.

COCO

COCO
CAMBON
CHANEL

HOMMAGE AN SUZY PARKER

»Man spürt, dass dies genau der richtige Zeitpunkt für Couture ist«, sagte Lagerfeld der *Women's Wear Daily* vor dieser neuen Schau. »Wir sind am Fin de Siècle angekommen und bewegen uns auf unsere eigene Belle Époque zu.« Er stand zu seinem Wort und präsentierte eine ausgesprochen couture-betonte Kollektion.

Unter anderem inspiriert von Suzy Parker, einem Model der 1950er-Jahre, interpretierte Lagerfeld das klassische Chanelkostüm nicht nur mit längeren, schmaleren Linien, sondern auch mit einem leichten Retro-Touch: Er verlängerte das Taillenkorsett, das er bereits in früheren Kollektionen vorgestellt hatte (siehe Seite 184–187), hob die Taille an und verwendete anstatt eines Gürtels einen einzelnen Perlenstrang.

Schwarz war die dominierende Farbe in der Kollektion – »kein Schwarz im Sinne von schwarz, sondern Schwarz im Sinne von schick«, scherzte der Modeschöpfer. Hinzu kamen luxuriöse maritime Akzente mit gestreiften Tops und bodenlangen Röcken, die aus der Entfernung aussahen, als wären sie aus Jersey. Die Streifen waren nicht auf den Stoff gedruckt, sondern vollständig aufgestickt (von Lesage) und prägten einen Look, den Lagerfeld »Abendstrand« taufte.

MIX DER GESCHLECHTER

Lagerfeld entlieh für diese neue Kollektion, genauso wie es einst Coco machte, Elemente aus der Herrenmode, lockerte die klassische Chanel-Silhouette auf und eröffnete die Präsentation mit einer Reihe kurzer bademantelartiger Jacken zu zweifarbigen Schnürschuhen, den sogenannten Brogues (Flügelkappen-Herrenschuhe).

»Das liegt in der Luft ... nichts ist mehr verboten«, sagte Karl Lagerfeld über den Mix aus geschlechtsspezifischen Elementen. »Ich spiele mit dem Strukturierten und dem Unstrukturierten.«

Der Designer präsentierte eine Vielzahl verschiedener Jackenformen, die zu voluminösen Hosen, Kleidern oder knielangen Kaschmirröcken getragen wurden. Auch bei den Accessoires wurde mit »nerdigen« Brillen, riesigen schwarzen Schleifen oder weißen Kamelien das Maskulin-Feminin-Motto der Kollektion aufgenommen, während die klassische gesteppte Chanel-Tasche in einer Mini-Koffervariante zu sehen war.

Für das Finale versammelten sich die Models auf dem Laufsteg und zogen alle zugleich ihre Probierjacken aus – die weiße Kleidung, die Models normalerweise zwischen Anproben oder beim Umziehen tragen. Darunter kamen schicke kleine schwarze Kleider zum Vorschein.

CARDIGAN-KLEID

Karl Lagerfeld versetzte Chanel für diese Kollektion in einen »geometrisch-kubistischen Traumgarten«, zu dem auch ein voll funktionsfähiger Springbrunnen gehörte – ein Vorgriff auf die spektakulären Gartenkulissen, die er Jahre später für Chanel entwerfen würde (siehe Seite 350–355 und Seite 484–487).

Der Modeschöpfer führte eine neue, fließende Silhouette ein, die er »über-verlängert *élégante*« nannte: »Kleiner, schmaler, enger anliegend, knapper!« Star der Kollektion war das neue Cardigan-Kleid oder *robe tailleur*: ein Kleid, das wie ein Kostüm wirkte und so eng war, dass es über Lagerfelds neu kreiertem Korsett-Slip getragen wurde. »Es sitzt wie ein Handschuh … das ist eine Handschuh-Story«, scherzte er.

»KARL HITS THE MALL«

»Karl im Shopping-Center«: So beschrieb *Women's Wear Daily* diese amerikanisch beeinflusste, sexy Kollektion in kräftigen Farbtönen. Gezeigt wurden komplette Jeans-Looks, bunte Samt-Einteiler mit dem Doppel-C-Logo (die Rapperin Iggy Azalea trägt in ihrem Video »Fancy«, von der Filmkomödie *Clueless – Was sonst!* inspiriert, eine babyrosa Variante) und sogar die ur-amerikanischen Khakihosen, neu interpretiert als tief sitzende Chanel-Chinos.

»Das soll ein Funken Hoffnung und Licht sein«, sagte Lagerfeld. »Eine Prise Fantasie, etwas Glamour, Optimismus und Helligkeit ... der Körper bekommt wieder etwas mehr Form, aber die Kurven sind weich – körperbewusst entspannt.«

Sogar die klassische Chanel-Borte tauchte in einer glänzenden Plastikversion an elfenbeinfarbenen seidenen Abendkostümen auf, die mit schillernden Plastiksteinchen in Orange und Gelb besetzt waren. Leichte Sommerkleider waren mit den Ikonen des Chanel-Stils bedruckt, die Motive bestanden zum Beispiel aus zweifarbigen Schuhen und schwarzen Stepptaschen.

CHANEL
31 RUE CAMBON

SPITZE UND FONTANGEN

Im Gedenken an den 25. Todestag von Coco Chanel, die jahrzehntelang im Ritz gewohnt hatte, und der intimeren Atmosphäre wegen wurde die Kollektion nicht im Carrousel du Louvre, sondern in den Suiten der ersten Etage des Hôtel Ritz gezeigt. Lagerfeld präsentierte eine Reihe weicher, luxuriöser Spitzen-Abendkleider, die an Cocos Kreationen der späten 1930er-Jahre erinnerten. »Ich liebe die Chanel-Atmosphäre von 1938, 1939«, sagte Karl Lagerfeld der *Women's Wear Daily*. »Sie hat etwas vom Spiel mit der Gefahr oder Frivolität im Angesicht der Gefahr – das ist Survival-Schick.«

Lagerfeld zeigte perfekt geschneiderte Hosenanzüge mit leicht ausgestelltem Bein, eng anliegenden Jacken mit schmaler Taille, betont durch goldene Schmuckgürtel mit Perlenschließen, und der, so von ihm bezeichneten, neuen »scharfen Schulter«: ein Ensemble, das, wie er gegenüber der *Vogue* erläuterte, den Military-Look der nächsten Saison ankündige, mit einer »makellosen Schulterlinie, eng anliegend, aber nicht einengend« (siehe Seite 222–225).

Während die aufgetürmten Frisuren von der Fontange inspiriert waren, einem nach Ludwigs XIV. Mätresse benannten Kopfputz aus dem späten 17. Jahrhundert, blieb die Kollektion »ganz Chanel, mit einer Prise Humor, einer Prise Punk … es ist eine Hommage, aber mit einer ironischen Note«, schloss Lagerfeld.

DIE GOLDENE ARMEE

Inspiriert unter anderem von »In the Army Now« in einer Version von Status Quo – »einer meiner Lieblingssongs, nur haben wir es hier mit einer Armee von Schönheiten zu tun« –, präsentierte Karl Lagerfeld eine Kollektion, die den Military-Stil mit dem Glanz von Gold vermählte.

Der Goldton stand im Vordergrund, von Goldlamé bis hin zu den zuvor bereits in einer Haute-Couture-Version vorgestellten goldenen Metallgeflechtgürteln (siehe Seite 218–221), Letztere schmückten eng anliegende, schulterbetonte Jacken, fleischfarbene Metallic-Strickwaren und die schwarzen Samt-Outfits des Finales, darunter einfache, auf Figur gearbeitete Mantelkleider.

»Wir sind auf dem Weg zurück zu etwas mehr Fantasie«, sagte Lagerfeld der *Vogue*, »aber die Mädchen sehen anders aus, die Proportionen sind anders, der Kontext ist anders ... dieser ganzen minimalistischen Mode fehlt es an Humor. Kleidung ist eben einfach Kleidung. Wir sind nicht für philosophisch-intellektuelle Botschaften da.«

CHANEL

KOROMANDEL-STICKEREI

Nach der Couture-Kollektion vom Vorjahr (siehe Seite 218–221) kehrte Karl Lagerfeld ins Hôtel Ritz zurück, diesmal in die Duchess-of-Windsor- und die Imperial-Suiten. Hier zeigte er eine Kollektion, in der sich, wie er zu *Women's Wear Daily* sagte, alles um »den Stiletto-Körper« drehte. ... »Die Silhouette ist endlos verlängert, denn das lässt eine Frau groß, rank, schlank, schwere- und alterslos aussehen – einfach alles.«

Lagerfelds neue Silhouette wurde definiert durch das, was er »das endlose Kostüm, die Jacke, die niemals aufhört« nannte: lange, die Waden umspielende Jacken und knöchellange Mäntel. Sie erinnerten an Nehru-Jacken und waren so eng anliegend, dass sie über speziell entworfenen, von Lagerfeld »the body beautiful« genannten schwarzen Bodysuits sowie, unüblich für Couture, mit Leggings getragen wurden: »Diese Jacken sind so schmal, dass nichts anderes darunter passen würde«, erklärte er.

Chanel-Logos gab es keine zu sehen, doch einige der langen Jacken waren mit Pailletten in Koromandel-Formen besetzt, die von Coco Chanels geliebten Wandschirmen aus ihrer Wohnung in der Rue Cambon inspiriert waren. Die schlanke Silhouette, die die Kollektion dominierte, wurde aufgelockert durch voluminöse Kunstpelz-Mäntel und Jacken mit Tüllrüschen.

REITERSTIL

Lagerfelds Frühjahr/Sommer-Kollektion 1997 im Espace Branly, wo die Models über ein speziell errichtetes Förderband in der Mitte des Laufstegs hinabsausten, wandte sich vom Military-Stil der Prêt-à-porter-Kollektion des Vorjahres ab (siehe Seite 222–225). Als Anregung diente diesmal ein Foto, das Coco Chanel auf einem Pferd zeigt, bekleidet mit einem weißen Hemd, schwarzer Krawatte, einem breitkrempigem Hut sowie – damals sehr gewagt für eine Frau – Reithosen, die sie bei einem ortsansässigen Herrenschneider in Auftrag gegeben hatte.

»Nach dem Military- kommt der Stall-Look«, sagte Lagerfeld scherzhaft. »Die Stimmung der Kollektion rührt von dieser [Fotografie] ... es gibt überall Reithosen, in bedrucktem Gabardine, Leder, Baumwolle – allem, was man sich nur vorstellen kann«, erklärte er.

Auch Farbe war mit jeder Menge bunter Blumenprints in Blau-, Rosa-, Gelb- und Rottönen ein zentrales Thema, während das Finale aus einem wahren Feuerwerk von Paillettenkleidern in unzähligen Schattierungen bestand. »Wie ›ice-crushed‹ Samt«, sagte der Couturier der *Women's Wear Daily.* »Es gibt über 40 verschiedene Kleider dieser Art in solchen sehr frischen, sehr hellen Farben: Sommereis in Gletschersamt.«

»HYSTERISCHE ELEGANZ«

Karl Lagerfelds Haute-Couture-Kollektion, eine seiner luxuriösesten, wurde präsentiert in den intimen, miteinander verbundenen Salons der Windsor- und Imperial-Suiten des Pariser Ritz. Zum ersten Mal wurde neben Mode auch eine Chanel-Schmuck-Kollektion gezeigt, darunter ein von Kirsty Hume vorgeführtes, kostspieliges Kometen-Collier, das an Coco Chanels eigene Schmuckentwürfe und ihre berühmte »Bijoux-de-Diamants«-Kollektion von 1932 angelehnt war.

Lagerfeld erklärte in den Informationen zur Schau, er wolle Chanel »bis an den Rand eines luxusbedingten Nervenzusammenbruches führen. Es geht um übertriebene Verfeinerung bis kurz vor der Hysterie. Eine hysterische Eleganz, aber auch ganz leicht – nicht gequält«, wie der Designer erläuterte.

»Wir haben das Essenzielle von Chanel genommen, es aufgeblasen und gleichzeitig schwerelos gemacht … Alles – bei den Kostümen, den Stoffen, den Proportionen, den Accessoires – dreht sich um Leichtigkeit. Gleichzeitig ist die Silhouette viel übersteigerter. Chanels Proportionen, auf den Gipfel getrieben«, erklärte er.

»WARUM EINE BRÜCKE?«

Diese effektvoll auf einer Hängebrücke inszenierte Kollektion mit dem Titel »Warum eine Brücke?« war als Verbindung von »Vergangenheit und Zukunft«, »Straße und Salon«, vor allem aber von femininem und maskulinem Stil konzipiert – eine Mixtur, der Coco Chanel den Weg bereitet hatte.

Die bekannten Logos, Handtaschen und Schmuckobjekte wurden dabei nicht berücksichtigt, stattdessen kombinierte Karl Lagerfeld weite Tweedhosen im »Baggy«-Stil mit farbigen Cardigans und Jacquard-Strickwaren. Betonte Schultern prägten die gesamte Kollektion, und die Abendkleider waren reich bestickt und hatten bunte, von Wassily Kandinskys Malerei inspirierte Muster. »Das ist ›Coco in Moskau‹«, sagte der Modeschöpfer der *Vogue* – bereits lange Zeit, bevor die »Paris–Moskau«-Kollektion präsentiert wurde (siehe Seite 432–437).

NORDISCHE SAGEN

Karl Lagerfeld kehrte, wie erneut einige Jahre später, zu seinen nordeuropäischen Wurzeln zurück (siehe Seite 498–501) und zeigte eine nordisch wirkende Kollektion, deren Inspirationsquellen von den schwedischen Rittern des 15. Jahrhunderts über die dänische Schriftstellerin Karen Blixen, Henrik Ibsens *Hedda Gabler* und Hans Christian Andersen bis zu dem Filmregisseur Ingmar Bergman reichten.

Präsentiert in den stimmungsvollen Gärten des Rodin-Museums, stellte die Kollektion eine neue, verlängerte Silhouette vor. Schwarz- und Grautöne dominierten und wurden kombiniert mit »überschlagenen Farben«, wie sie Lagerfeld bezeichnete. Zurückhaltende Tageskleidung stand im Kontrast zur spektakulären Abendmode mit Wolken aus Tüll und Spitze sowie riesigen Hutgebilden, die »direkt der nördlichen Sagenwelt« entliehen zu sein schienen.

»Es wirkt etwas streng«, erläuterte Lagerfeld, sei aber »mit Poesie und strenger Frivolität gepaarte Modernität ... dieser poetische Hauch von Melancholie kommt aus dem Norden.«

60 JAHRE COCO

Karl Lagerfeld feierte Coco Chanels Lebenswerk mit dieser Kollektion, die, wie er erklärte, von ihrem geistigen Erbe inspiriert war: »Sie macht deutlich, was Chanel in ihrem Leben geschaffen hat, zeigt aber auch deren Bedeutung für unsere heutige Zeit auf.«

Die in sechs unterschiedliche Bereiche unterteilte Kollektion, von denen jeder etwa ein Jahrzehnt von Chanels Leben abdeckte (von »Coco vor Chanel« über »Die romantische Coco und Monte Carlo« bis hin zu »Chanel heute und in der Zukunft«), interpretierte die Höhepunkte des Chanel-Stils, von den Spangenschuhen im Stil der 1920er-Jahre und maritimen Jersey-Badeanzügen bis hin zu romantischen Spitzenkleidern, die an Coco Chanels charakteristische »Zigeunerkleider« der 1930er-Jahre erinnerten. Und natürlich durfte auch das berühmte Chanelkostüm nicht fehlen, das in bunten, von Lesage gewebten Tweedstoffen präsentiert wurde.

CHARLESTONGIRLS UND CONCIERGEN

Nach der Präsentation der Prêt-à-porter-Kollektion im Carrousel du Louvre ging Lagerfeld mit der Haute Couture zurück in die intimeren Chanel-Salons in der Rue Cambon. Er wollte damit eine neue Atmosphäre der »Privatheit und Vertrautheit für die Happy Few« schaffen, wie er dem *Daily Telegraph* sagte.

In der vom Stil der 1910er- und 1920er-Jahre inspirierten Kollektion drehte sich alles um »Alltagsschick« und Bequemlichkeit: Viele der reich bestickten Abendkleider erinnerten an Silhouetten und Formen von Paul Poiret, und die Models trugen mit Pailletten und Kristallen bestickte Tüllhaarnetze im Charlestonstil. Eigens für Chanel in Schottland gestrickte »Couture-Cardigans« aus Kaschmir, getragen über knielangen Röcken und mit echten Perlenketten als Accessoires, ergaben nach den Worten von Amanda Harlech einen »saloppen Concierge-Stil«.

COCOS DEAUVILLE

Karl Lagerfeld rief mit maritimen Weißtönen, Glockenhüten, weiten Hemden aus weicher Seide, langen Mänteln und Kostümen mit knöchellangen Röcken Erinnerungen an den Stil und die Atmosphäre von Coco Chanels Zeit in Deauville und Biarritz Ende der 1910er- und Anfang der 1920er-Jahre wach.

Für die Hauptsilhouette der Kollektion ließ sich Lagerfeld von einem Buch über Khmer-Skulpturen anregen, sie zeichnete sich aus durch »einen schmalen Brustkorb, einen eng umhüllten Oberkörper und eine ausdefinierte Schulter«, wie es in *Women's Wear Daily* hieß. »Sogar noch fragiler, denn die Ärmel sind fast breiter als der Rumpf«, erklärte Karl Lagerfeld.

Doch der Couturier blickte nicht nur zurück auf Chanels Geschichte: Die legendäre Kamelie erschien in einer weißen Neopren-Version, und die Kollektion feierte Chanels neue »2005«-Handtasche (siehe Seite 259). Die Form der nach dem neuen Jahrtausend und Chanels Glückszahl 5 benannten Tasche erinnerte an einen auf den Kopf gestellten weiblichen Torso und wurde besonders »körperfreundlich« gestaltet. »Sie ist federleicht und so gearbeitet, dass sie sich an den Körper anschmiegt«, sagte Lagerfeld.

JAPANISCHE EINFLÜSSE

Karl Lagerfeld brachte Chanels Stil mit einer stark von Zen-Kultur und Japan beeinflussten Kollektion nach Fernost. Er präsentierte weiche, elegante Silhouetten, die er als »Evolution der Linie« bezeichnete. »Ich wollte Volumen, aber kein Gewicht – einen Eindruck wie leicht vom Wind aufgebläht.«

Der Schmuck war minimalistisch und pur, mit einfachen Linien (große Goldscheiben, grafische Kreuze, Kettenglieder als Gürtel oder Halsketten), was auch für die Stickerei galt. »Wenn man eine neue Proportion macht, kann man nicht so viel Zeug dazutun, sonst sieht man sie ja nicht … Es gibt so viel verzierte Kleidung von anderen Häusern. Ich wollte frische Luft hereinlassen«, sagte Lagerfeld zu *Women's Wear Daily.*

SPORTLICHE ZWEITEILER

Nach einer sehr eleganten, raffinierten Haute-Couture-Kollektion (siehe Seite 254–257) schlug Karl Lagerfeld eine völlig andere Richtung ein: Er präsentierte einen entschieden sportiven Stil mit kurzen, engen Jacken (darunter einige bauchfreie Varianten aus Leder) über langen Satinröcken, Athleten-Badeanzügen und flachen oder niedrigen Sandalen, der fast ohne klassische Chanelkostüme oder Logos auskam.

Statt des berühmten Tweeds des Modehauses verwendete Lagerfeld verstärkt Materialien des 21. Jahrhunderts wie Neopren oder Nylon-Polyester-Mischungen und zeigte Chanels futuristische neue Tasche, die rundliche »2005« (siehe auch Seite 250). Hier war sie in bunten Farben von Hellgrün bis Orange, Rot oder Rosa zu sehen und fungierte sogar als Kopfkissen, als eines der Bikini-Models den Bademantel auszog und sich auf dem Laufsteg mitten in der Opéra Bastille wie zum Sonnenbaden hinlegte.

WEICHE SCHNEIDEREI

Nachdem es fast ganz aus Karl Lagerfelds letzter Kollektion für das Modehaus verschwunden war, feierte das Chanelkostüm sein Comeback, jedoch in einer neu proportionierten Version (siehe Seite 258–259): Die Jacke war klein und schmal und wurde über fließenden Röcken oder langen, weiten Hosen mit tiefem Bund getragen. »Meine Kollektion ist präzise wie eine Radierung und weich wie eine Zeichnung – das ist die Grundidee«, sagte Lagerfeld zu *Women's Wear Daily.* »In ein und demselben Outfit wird der Körper oben genau umrissen, aber von der Taille bis zu den Beinen hinunter werden die Formen weicher. Heiß und kalt.«

Wie es einer Haute-Couture-Kollektion gebührt, war die Kleidung aus luxuriösen Materialien geschneidert, die gelegentlich durch aufwendige Stickereien akzentuiert waren, und wurde in hellen, weichen Rosatönen, hellem Grau und Eierschale präsentiert, Farben, die allesamt »neu bei Chanel« waren, wie Lagerfeld bemerkte.

AUFBRUCH INS 21. JAHRHUNDERT

Karl Lagerfeld beendete Chanels 20. Jahrhundert stilvoll und ohne jede Nostalgie. Über 70 Models führten auf einem großen, schlichten grauen Laufsteg mit der Aufschrift »1999–2000« in großen Lettern eine Kollektion vor, die zwar der bekannten Schwarz-Weiß-Palette des Hauses huldigte, sonst aber sehr zukunftsorientiert war.

Von *Women's Wear Daily* als »Begegnung zwischen Weltraumzeitalter und Gotik« beschrieben, behielt die Kollektion die Linie der von Lagerfeld für frühere Kollektionen entwickelte Silhouette bei – knappe, kurze Jacken und Tops über weiten Hosen oder Röcken –, um eine moderne Version des klassischen Chanelkostüms anzubieten. »Das ist meine Sicht auf das, was Chanel heute ausdrücken sollte: Ungezwungenheit«, sagte Karl Lagerfeld in *Vogue*.

COUTURE GEOMETRISCH

Diese Kollektion war bestimmt von perfekten Schnittkonstruktionen und vermeintlich einfachen Formen, darunter eine Reihe von Tweedkostümen mit »verstecktem Eingang«, die an der Schulternaht zu öffnen waren, um Knöpfe und alles Auftragende zu vermeiden: »Ich musste ein wenig Einstein spielen«, sagte Karl Lagerfeld in *Women's Wear Daily*, und der Modejournalist Colin McDowell fühlte sich an »Cardin und Balenciaga in den 1960er-Jahren« erinnert.

Die tadellosen Schnitte wurden durch farbige Akzente in leuchtendem Rot und Pink, aufwendige Stickereien von Lesage, Montex, Hurel und Lanel und einigen launigen Elementen betont, von Stachelfrisur-Accessoires bis hin zu auffälliger Abendkleidung in A-Form, darunter ein spektakuläres bodenlanges Steppkleid.

STEPPSTIL

Die auf einer laut *Women's Wear Daily* »fast fußballfeld-großen« Bühne mit nicht weniger als vier Laufstegen – jeweils zwei in Hellblau und in Pink – präsentierte Kollektion konzentrierte sich auf Blumendrucke und helle Farben mit strahlenden Blau-, Gelb-, Rot- und Grüntönen, die in Lagerfelds nächster Haute-Couture-Kollektion für Chanel wiederkehren sollten (siehe Seite 272–275).

Im Zentrum der Schau stand jedoch Chanels klassischer, durch die legendäre 2.55-Handtasche bekannter Steppstoff. Hier wurde das Steppmuster in einer vergrößerten, rechteckigeren Version, das an die Unterteilung einer Tafel Schokolade erinnerte, neu aufgelegt und auf ärmellose Tops, kurze Jacken, Minikleider und, besonders auffällig, auf unterarmlange Handschuhe mit farblich passenden Handtaschen übertragen.

FARBENFROHE COUTURE

Bei dieser Haute-Couture-Kollektion, für die der Laufsteg in einer Reitanlage im Bois de Boulogne aufgebaut war, konzentrierte sich Karl Lagerfeld auf Kostüme und leuchtende Farben. Es gab »nur« 58 Looks, »es hätten aber sehr viel mehr sein können«, erklärte der Modeschöpfer gegenüber *Women's Wear Daily*, »denn wir haben viele Kundinnen, und alle wollen sie Kostüme, Kostüme, Kostüme.«

Besagte Kostüme wurden durch schwingende weite Röcke neu definiert, eine Form, die von Lagerfelds Vorstellung von »Volumen mit Bewegung« herrührte. »Wir können ja nicht bis ans Ende unserer Tage enge Röcke machen«, verkündete er, bestand aber auch darauf, dass dies »nicht der New Look« sei, so sehr die Silhouette auch an diesen von Christian Dior eingeführten Stil der 1950er-Jahre erinnerte (Coco Chanel lehnte diesen entschieden ab, weil sie fand, dass er die Bewegungsfreiheit der Frauen einschränke). Ein unverkennbarer Chanel-Touch war jedoch durch die Frisuren gegeben, bei denen die Haare zu blütenförmigen Knoten gedreht waren – eine Anspielung auf Mademoiselles Lieblingsblume, die Kamelie.

WINTERWEISS

Nach mehreren Kollektionen ohne Perlen brachte Karl Lagerfeld dieses Attribut des Chanel-Stils in überdimensionierten Versionen, die als Halsketten über weißen wattierten Wintermänteln und Skianzügen, als Gürtel über fein plissierten weißen Röcken getragen oder über mehrere Schals geschichtet wurden. »Perlen gehören zum Chanel-Erbe«, erklärte Lagerfeld. Sie mussten jedoch »aktualisiert werden, um ihr langweiliges, damenhaftes Image loszuwerden«.

Ausgehend von der reichen Schneidertradition des Hauses präsentierte Lagerfeld eine Reihe eleganter schmaler Mäntel, Kleider und Röcke, während er Chanels typisches Steppmuster von der legendären 2.55-Handtasche auf Strickwaren und Strümpfe in winterlichen Grau-, Beige-, Pflaumen-, Grün- und Brauntönen übertrug.

CHEZ RÉGINE

Zum ersten Mal fand die Präsentation einer Cruise-Kollektion nicht in den intimen Räumen der Salons in der Rue Cambon oder der Place du Marché Saint-Honoré statt, sondern als groß angelegte Schau im Chez Régine, dem in den 1970er-Jahren gegründeten, für seine Jetset-Klientel bekannten Pariser Nachtclub.

In der von *Women's Wear Daily* als »frisch, heiter und charmant« beschriebenen Kollektion erhielt das Hemdkleid einen Ehrenplatz, präsentiert in einer lässig gestreiften Baumwollversion mit passenden Hüten, Riemchensandalen und Unmengen von Goldarmbändern.

Leichtere, sommerlichere Neuinterpretationen des klassischen Chanelkostüms wurden mit Blusen mit Raffdetails und großen Sonnenbrillen kombiniert, während die Nachtclub-Atmosphäre von einer Reihe auffälliger, partytauglicher Goldlamé-Miniröcke unterstrichen wurde.

AUFREGENDER TWEED

Karl Lagerfelds neue Kollektion, in der es um farbliche Disharmonien ging, wurde rund um das große Becken des Schwimmbads Keller im 15. Arrondissement von Paris präsentiert, wobei die Models unter der Aufsicht von Bademeistern in Chanel-T-Shirts auf einem Laufsteg aus durchscheinendem Plexiglas wandelten.

Die Abkehr von Chanels traditionsreicher Schwarz-Weiß-Palette hatte eine gewisse Dramatik, war jedoch als Fortsetzung der vorhergehenden Haute-Couture-Kollektion zu verstehen (siehe Seite 272–275): leuchtendes Rosa, grelles Grün, schimmernde Metallictöne und cyclamfarbene Tweedkostüme wurden mit kanariengelben Tüllboas und zudem mit grünem oder blauem Lidschatten und Lippenstift kombiniert.

Das klassische Chanelkostüm erhielt neue Proportionen: Eine länger geschnittene Jacke mit vertiefter Taille, die den Oberkörper verlängerte, wurde beispielsweise über einem knielangen, weich gefältelten Rock getragen; hinzu kamen wasserfeste Stiefel aus transparentem Kunststoff und PVC, lockere Überwürfe aus Tüll und breite metallicfarbene Schärpen.

KREISRUND

Karl Lagerfeld schickte Chanel mit einer großen Ladung Farbe ins 21. Jahrhundert, und diese Kollektion – die letzte im Jahr 2000 – machte keine Ausnahme: Die Models liefen in allen Schattierungen von Rot, Pink, Blau, Koralle und Violett einen bunten Neon-Laufsteg in Form einer Treppe hinab, die eigens für diesen Anlass im Carrousel du Louvre installiert worden war.

Wiederkehrendes Motiv der Kollektion war der Kreis. Er tauchte auf Drucken auf, schmückte Strumpfhosen, war auf durchscheinende Blusen, Kleider und Röcke gestickt und diente als Inspiration für die neue kreisrunde Tasche.

Lagerfeld erklärte, dass er die Models »mit allen Chanel-Elementen, neu gemixt für 2001, wie auf Licht gehen« lassen wollte. Die Models selbst trugen überall den Schriftzug »Coco«, nicht nur auf den bunt bestickten Tüllschleiern, die ihre Gesichter bedeckten (und in einer Version ohne Logo in der darauffolgenden Haute-Couture-Kollektion des Hauses wiederkehrten – siehe Seite 288–291), sondern auch auf ihren Handschuhen und Fingernägeln. Letztere waren künstlich und mit einem eigens dafür hergestellten Lack mit Strasspartikeln bemalt.

COCO
COCO
COCO
COCO
COCO

COCO
CHANEL
COCO
COCO

PERLEN UND SCHLEIER

Diese besonders feminine, von Coco Chanels Entwürfen der 1930er-Jahre inspirierte, überwiegend in Schwarz und Weiß gehaltene Haute-Couture-Kollektion wurde auf einem Laufsteg präsentiert, an dessen einem Rand eine spektakuläre geflochtene Kette verlief.

Karl Lagerfeld spielte vor allem mit gestuften Flamencoröcken auf die luxuriösen »Zigeunerkleider« an, die Mademoiselle Chanel damals neben den charakteristischen raffinierten Spitzenkleidern für den Abend herausgebracht hatte. Deren Geist interpretierte er hier mit bestickten und paillettenbesetzten durchscheinenden Stoffen ebenfalls neu.

Das klassische Chanelkostüm wurde in weichen, apart mit Borten besetzten Versionen neu aufgelegt, ergänzt durch lange Perlenketten, schmuckbesetzte Gürtel, Spitzenhandschuhe und Schleier. Letztere waren an kecken Kreissägen, Chanels Lieblingsform für Strohhüte, befestigt oder wurden über dem zu großen seitlichen Knoten frisierten Haar getragen, um der Silhouette Volumen zu verleihen.

»COCO-POP«

Bei dieser witzigen und erfindungsreichen Winterkollektion traf Coco Chanel auf die Pop-Art-Ikone Roy Lichtenstein. Karl Lagerfeld ließ sich davon inspirieren und kreierte auf Grundlage von Mademoiselles Porträts, darunter Fotografien von Man Ray und Horst P. Horst, einige grellfarbige Varianten mit Denkblasen und Sprüchen wie »Just a drop of N°5«.

Diese »Coco-Pop«-Entwürfe zierten sowohl bunt gestreifte Pullover (die Teil eines kompletten Chanel-Bergsteiger-Looks waren) als auch glänzende schwarze Unterarmtaschen, während Chanels bekanntes Doppel-C-Logo auf schwarz-weißen Pelzmuffs, Ohrschützern, Armstulpen und Halsketten prangte.

In Anspielung auf die wunderschönen Reh- und Hirschskulpturen in Coco Chanels Privatwohnung tauchten auch Rentiere auf. Sie tanzten über Pelzkragen oder waren in Form von Broschen an Strickwaren, Blusen und Kleidern befestigt, die mit einem neuartigen Chanel-Kettenmuster bedruckt waren.

UST A DROP
OF N°5
CHANEL

BALLERINA

Nachdem Karl Lagerfeld Chanel in den kultigen Pariser Nachtclub Chez Régine entführt hatte (siehe Seite 278–279), zollte er nun einer völlig anderen Art von Tanz Tribut.

Lagerfeld ließ sich, vielleicht aufgrund von Coco Chanels Liebe zum Tanz und zum Ballett, von der Eleganz von Ballerinen inspirieren. In ihrer Jugend war Mademoiselle eine begeisterte Schülerin der exzentrischen und radikalen Tänzerin Caryathis gewesen, deren Studio sich in der Rue Lamarck auf dem Montmartre befand und zu der sie Anfang der 1910er-Jahre oft ging, um Ballett zu üben. Später wurde Coco Chanel zu einer wichtigen Förderin von Djagilews Ballets Russes. Sie entwarf auch die Kostüme für einige der legendärsten Produktionen dieser Ballettkompagnie und war mit mehreren ihrer Tänzer, vor allem mit Serge Lifar, eng befreundet.

Der Modeschöpfer brachte seine Gäste in ein Ballettstudio am Stadtrand von Paris, wo er Tüllkrausen, hochhackige marineblaue oder rosafarbene Ballettschuhe mit Satinbändern an den Fesseln, weite Plisseeröcke, durchscheinende Tops, elegante Leggings und Bandgürtel in hellen, ruhigen Tönen präsentierte – Ballerinen, neu interpretiert im puren Chanel-Stil.

COUTURE-HOSEN

Mit dieser neuen Kollektion, die im Hof des Lycée Buffon präsentiert wurde, eine der geschichtsträchtigen Schulen von Paris, zeigte Karl Lagerfeld eine sehr gediegene, sehr couture-betonte Interpretation des Chanel-Stils. Der Ehrenplatz gebührte luxuriösen Tweeds, Seide, Wolle und Stickereien in gedeckten herbstlichen Farbtönen.

Im Mittelpunkt der Kollektion standen Hosen, die in jedem Outfit und in einer überwältigenden Vielfalt an Schnitten und Stoffen auftauchten: Gerüschte Ballettkleider wurden mit passenden Chiffonhosen kombiniert, während wollene Hosenanzüge von breiten Gürteln mit schmuckbesetzten Schnallen sowie schweren Bernstein- und Goldringen begleitet wurden.

Die Kostspieligkeit der Kollektion wurde nicht nur am Schmuck, sondern auch an den verschwenderisch eingesetzten Stickereien deutlich, die Umhänge, Tuniken und Abendkleider zierten. Sie alle stellten eine Hommage an die von Coco Chanel entwickelten Markenzeichen dar, und deren typische Haarbänder und Bob-Haarschnitte hatten auch zum Frisuren- und Make-up-Look der Kollektion angeregt.

GESCHWINDIGKEIT UND ROMANTIK

Lagerfeld präsentierte diese Kollektion im Carrousel du Louvre, der berühmten Glaspyramide mit Einkaufspassage im Innenhof des Louvre. Die Schau auf einem langen, kurvigen Laufsteg aus Plexiglas versprühte pure Energie und Dynamik. Eröffnet wurde sie durch einen neuen ledernen Biker-Look in Rot und Taubenblau, bestehend aus Lederjacke, Reißverschlusshose, Stoppuhr-Halskette, zweifarbigen Sneakers, Handschuhen und darauf abgestimmtem Helm mit dem Doppel-C-Logo.

Die charakteristische gesteppte Struktur der berühmten 2.55-Tasche fand sich auf kurzen wattierten Sportjacken, Mikro-Shorts und Lederstiefeln wieder. Dagegen wartete der zweite Teil der Show mit romantischen und raffinierten Outfits in Schwarz, Weiß und Gold auf, die dem Ganzen durch ein vielfältiges Spiel mit Transparenz eine erotische Note hinzufügten.

CHANEL

CHANEL

CHANEL

EIN STRAUSS KAMELIEN

Für diese Kollektion, die der Kamelie als Mademoiselle Chanels Lieblingsblume huldigte, wurde im Zentrum der Tuilerien gegenüber dem Louvre sogar ein echtes Gewächshaus errichtet, in dem Tausende rosafarbene Kamelien auf Bänken, Boden und Laufsteg ausgestreut waren.

Ganz wie die in Stanley Donens Film *Ein süßer Fratz* von Audrey Hepburn gespielte Herausgeberin eines Modemagazins beschloss Lagerfeld, für diese Kollektion »pink zu denken« –, dabei hatte er jedoch nicht Elsa Schiaparellis »Shocking Pink« im Sinn, sondern alle Schattierungen eines weichen, dezenten Rosa, gelegentlich mit Einsprengseln von Schwarz und Violett.

Die Models trugen Kamelien-Haarschmuck und zeigten weiche Kostüme, taillierte Mäntel sowie Mantelkleider mit bauschigen Petticoats (für mehr Volumen) und Tüllschleiern (für zarte, transparente Effekte). Den Abschluss machte ein spektakuläres hellrosa Hochzeitskleid mit einem Oberteil aus aufwendig gefälteltem Chiffon über einem weiten Rock mit einer Kaskade rosafarbener Blütenblätter an der Rückseite sowie einem luftigen Organza-Schleier.

ROCK-CHICKS

Die belgische Elektro-Rockband Vive la Fête lieferte den Sound zu dieser Schau, darunter eine von Techno inspirierte Coverversion von Serge Gainsbourgs und Jane Birkins »Je t'aime ... moi non plus«. Karl Lagerfeld war begeistert von der charismatischen Frontfrau der Band, Els Pynoo: »Ich bin verrückt nach dem Mädchen«, sagte er. »Sie könnte eine neue Blondie sein – was nicht heißt, dass mir die alte nicht gefallen würde.«

Die aufgeladene Rock-'n'-Roll-Stimmung spiegelte sich deutlich in einer Kollektion wider, die Chanels Markenzeichen neu erfand und in einen Rock-Kontext stellte – vom Bohemien-Stil der 1970er-Jahre bis hin zu Gothic- oder Heavy-Metal-Looks –, gelegentlich mit etwas rebellischer Schulmädchen-Attitüde versetzt.

Die Models trugen Haarverlängerungen aus Metallketten, lederne Biker-Jacken mit offenen Reißverschlüssen, die spitzenverzierte Tops enthüllten, mit Pailletten besetzte Hotpants und schwarze Lederstiefel. Sogar Chanels legendärer Tweed war metallisch geworden, und die berühmte Kostümjacke hatte sich in eine knappe, fransenbesetzte, funkelnde Mini-Jacke verwandelt, die auf der nackten Haut getragen wurde.

CAFÉ MARLY

Schon Jahre bevor mit der »Brasserie Gabrielle« Chanels erstes voll ausgestattetes Café entstand (siehe Seite 602–607), brachte Karl Lagerfeld die Modemarke für eine ganz besondere Cruise-Schau ins Café Marly, die einzigartig elegante Brasserie, deren Terrasse auf die legendäre Glaspyramide des Louvre ausgerichtet ist.

Als Hommage an die Eleganz der traditionellen französischen Kellner-Uniform in Schwarz-Weiß präsentierte der Modeschöpfer eine fast monochrome Palette mit ausschließlich weißen Shirts, die unter figurbetonten schwarzen Westen in luxuriösen, paillettenbesetzten Versionen getragen wurden. Dazu sah man knöchellange weiße Röcke oder lange weiße Schürzen und als Accessoires klassische Chanel-Perlenketten.

EDWARDIANISCHE ELEGANZ

Die in den frisch renovierten Haute-Couture-Salons von Chanels Hauptsitz in der Rue Cambon präsentierte Schau konzentrierte sich auf das Kostüm. Wie Lagerfeld erklärte, drehte sich in dieser Kollektion alles um »Kontraste – Abgeklärtheit und Frivolität, Laster und Tugend, Heiliges und Profanes.«

Die berühmte Chanel-Jacke tauchte in einer neuen, eng geschnittenen, verlängerten Version mit schmalen Ärmeln und hohem Spitzenkragen auf – eine Silhouette, die an die Zeit Edwards VII. und an Damen-Reitbekleidung des 19. Jahrhunderts erinnerte. Kombiniert wurde sie mit weit ausgestellten kurzen Glockenröcken, die mit Rüschen aus besticktem glitzernden Tüll gesäumt waren, wohingegen Abendkleider mit vertiefter Taille Erinnerungen an die Charlestonkleider der 1920er-Jahre wachriefen.

Schlichte, perfekt geschnittene schwarze und graue Kleider brachten aufwendige Stickereien, perlenbesetzte Petticoats, schmuckbesetzte Säume, zarte, mit glänzenden Pailletten verzierte Netzstrümpfe und Schuhe, die an den Fesseln mit Goldperlen geschlossen waren, wirkungsvoll zur Geltung. Lagerfeld kehrte mit dieser Schau zu einem etwas kleineren Rahmen und einem traditionelleren Setting für die Haute-Couture-Kollektion zurück. »Diese Kollektion ist sehr couture-betont«, sagte der Designer. »Ich wollte, dass die Leute sie wirklich aus der Nähe sehen. In einem großen Raum würde sie etwas verloren wirken. Ich hatte Lust auf etwas Intimeres – eine echte Couture-Schau.«

SURF'S UP

Die auf einem spiegelnden, in geometrischem Muster angelegten Laufsteg präsentierte Kollektion widmete sich Chanels Vorliebe für Meeresthemen: Es gab leichte Jacken, die mit Perlen behängt oder mit kristallbesetzten Borten geschmückt waren, Marlenehosen, Maxi-Sonnenkleider mit passenden Bikinis und Mikro-Miniröcke, letztere ein Haupttrend der Saison.

Die von einer schwarz-weißen Palette dominierte Kollektion war entschieden jung und aktiv, wie vollends deutlich wurde, als sich die Kulisse am Ende des Laufstegs hob, ein Schlauchboot mit CC-Monogramm zum Vorschein kam und eine Gruppe Chanel-Surfergirls den Laufsteg betrat. Sie trugen Bikinis, Bandeau-Tops und Mini-Shorts, dazu Perlenketten, Kamelien und kleine, sportive Chanel-Taschen sowie Gummistiefel, Chanel-Kites und -Surfboards. »Alles dreht sich doch um Sport, nicht wahr?«, sagte Lagerfeld.

CHAN

EINE COUTURE-KONSTELLATION

Zur Einführung einer neuen Reihe von Kollektionen, die sich den Métiers d'Art, den Handwerkskünsten, widmeten, brachte Chanel eine intime Show mit dem Titel »Satellite Love« auf die Bühne der Haute-Couture-Salons in der Rue Cambon. Eine Kollektion mit limitierter Auflage und nur etwa 30 Entwürfen, mit denen Karl Lagerfeld dem speziellen Fachwissen und dem handwerklichen Können der fünf Ateliers (von Lagerfeld »Satelliten« genannt) Tribut zollte, die das Modehaus kurz zuvor unter seine Fittiche genommen hatte. Gemäß Chanel stand diese Kollektion für die »Verpflichtung gegenüber diesen Unternehmen, mit denen uns seit langer Zeit hohe Qualitäts-, Exklusivitäts- und Innovationsansprüche verbinden«.

Zu dieser neuen Geschäftsverbindung gehörten Desrues (ein Hersteller von Modeschmuck, der jahrzehntelang Ketten, Halsbänder, Gürtel, Broschen und Gürtelschließen für Chanel hergestellt hatte), Lemarié (für Federn und künstliche Blumen – Lagerfeld beschrieb Monsieur Lemarié als Gebieter der Kamelien), die bekannte Haute-Couture-Stickerei Lesage, Schuhmacher Massaro (der Chanel seit 1957 verbunden ist, als die bekannte beige Sandalette mit schwarzer Spitze, die von Mademoiselle Chanel entworfen wurde, erstmals vorgestellt wurde) und Hutmacher Maison Michel (seit seiner Gründung 1936 Lieferant führender Modehäuser).

»FRAGILITÄT«

Thema der subtilen Haute-Couture-Kollektion, die Karl Lagerfelds 20. Dienstjubiläum bei Chanel markierte, war nach seiner eigenen Aussage »Fragilität – alles ist fast schwerelos«. Sogar die berühmten Tweedkostüme waren luftiger als sonst, da die Tweeds in Stücke gerissen und dann auf Tüll genäht waren, während Säume und Ärmelabschlüsse sich in Tüll und fransige Stickereien auflösten. Sie waren »leicht wie eine Feder«, wie Amanda Harlech zur Modejournalistin Hilary Alexander sagte. »Man könnte sie zu einem Ball zusammenknüllen.«

Die durch einzigartige Hutmodelle in Form von halben Kreissägen ergänzte Silhouette war schmal – eng anliegende Tweedmäntel erinnerten beispielsweise an die Linienführung von Maharadscha-Mänteln –, und die Farbpalette bestand aus einem Mix aus Chanels charakteristischem Schwarz und Weiß mit Pastelltönen. Indes trieb Lagerfeld sein Spiel mit der Transparenz weiter: »modern, suggestiv, aber nicht durchsichtig«, wie der Modeschöpfer erklärte.

WEISSES LICHT

Unter dem Titel »Weißes Licht« bot die Kollektion eine vorwiegend in Schwarz-Weiß gestaltete Wintergarderobe mit schmalen Silhouetten in Tweed und Leder. Hochhackige weiße Stiefel im Raumfahrer-Look und glatte schwarze oberschenkelhohe Beinwärmer, auch in Lederversionen für einen Biker-Look, sorgten für eine sexy Note. Der Schneiderkunst huldigte Karl Lagerfeld mit witzigen Accessoires wie Halsketten aus übergroßen Druckknöpfen, Haken und Ösen.

Musikalisch unterlegt unter anderem von »Girls and Boys« von Blur, hob Lagerfeld Chanels charakteristischen Mix femininer und maskuliner Elemente mit einer Reihe dynamischer Winteroutfits und strenger Schneiderkunst hervor. Das klassische Chanel-Tweedkostüm erschien dagegen in einer sehr kurzen Minirock-Version mit bunten Stickereien, die auf Kasimir Malewitschs suprematistische Kompositionen aus den 1910er-Jahren zurückgingen.

31 CAMBON

CANDY-LAND

Für diese neue Cruise-Kollektion fuhr Karl Lagerfeld »süße Gaumenfreuden« auf: Fröhliche Eiscreme-Prints schmückten leichte Tops, Röcke, Nackenträger-Kleider, Wochenend-Taschen und Strand-Sarongs, während das klassische Chanelkostüm in hellen Sorbet- und Bonbonfarben auftauchte, von Kaugummirosa bis Zitronengelb und Pistaziengrün.

Die verspielten Ensembles wurden üppig mit Accessoires kombiniert, darunter Glockenhüte wie aus den 1920er-Jahren und sommerliche hochhackige Sandalen, Sonnenbrillen in durchscheinendem Pink, Baumwoll-Sonnenhüte, sternförmige Ohrringe, schmuckbesetzte Gürtel und CC-Broschen in Herzform.

SCHNEEKÖNIGIN

Die in einem ehemaligen Kloster aus dem 17. Jahrhundert in Paris präsentierte Haute-Couture-Kollektion zeigte auffallend opulente Neuinterpretationen klösterlicher und mittelalterlicher Elemente – darunter Kappen in Spitze oder Leder – mit einem futuristischen Look. Bei dieser Kollektion drehte sich alles um Volumen: Tweed war wie bei der vorhergehenden Haute-Couture-Kollektion in Stücke gerissen und auf luftigen Tüll appliziert (siehe Seite 318–321), während der allgegenwärtige Pelz als Zobel- und Hermelinbesatz oder spektakulärer Pelzkragen für die luxuriöse, winterliche Note sorgte.

Überlange Ärmel, Gagatperlen, breite schmuckbesetzte Gürtel und Schwarz als vorherrschende Farbe verliehen dem Ganzen einen Gothic-Touch, der im aparten Kontrast zum Look des Finales stand: Als spektakuläre, ganz in Weiß gekleidete Schneekönigin-Braut bestritt Linda Evangelista das Ende der Schau. Sie trug ein Hochzeitskleid mit Rüschenrock über hautengen weißen »Stilettohosen«, begleitet von Accessoires wie einer weißen paillettenbesetzten Kappe, einem zart bestickten breiten Gürtel und einer voluminösen Tüllwolke als Schleier.

MUSIKALISCHE ACCESSOIRES

Karl Lagerfeld legte eine junge, energiegeladene Kollektion für den Sommer vor, bei der die Models zum Sound der Kultband Blondie aus den 1970er-Jahren über den Laufsteg schlenderten. Die klassischen Chanel-Elemente wurden auf überraschende Weise interpretiert: Kamelien tauchten auf schwarz-weißen Strickwaren auf, lange Halsketten bestanden nicht aus den üblichen Perlen, sondern waren mit schwarzen Mini-Schallplatten bestückt, und die Chanel-Tasche erschien in Tonbandgerät-Versionen. »Es geht um Chanel, das heruntergespielt getragen wird«, sagte Lagerfeld zur Modejournalistin Sarah Mower, »nett, aber nicht so damenhaft.«

Der legendäre Tweed des Hauses erhielt einen Ehrenplatz, wartete mit weichen Pastellfarben auf und verwandelte sich in Trenchcoats mit Tweedborten, die eigens dafür von Lesage gewebt wurden. »Ich weiß nicht, warum mir das nicht schon früher eingefallen ist«, kommentierte Lagerfeld. »Eigentlich eine ganz einfache Idee, dem Trenchcoat eine Borte hinzuzufügen – wer ihn sieht, weiß sofort, das ist Chanel«.

FEIER DER HANDWERKSKUNST

Nach der »Satellite Love«-Kollektion im vergangenen Jahr (siehe Seite 316–317), die erste dieser Art, huldigte auch diese der überragenden Handwerkskunst der fünf Métiers-d'-Art-Ateliers, die 2002 von Chanel übernommen wurden: dem berühmten Stickereihaus Lesage (»Für mich gibt es keine Haute Couture ohne Stickerei«, sagte Lagerfeld), dem Feder- und Kunstblumenspezialisten Lemarié, dem Hutmacher Maison Michel, dem Schuhmacher Massaro und dem Modeschmuck-Hersteller Desrues. Sie alle gehören einer Tradition von bedeutenden Zulieferern für die Pariser Haute Couture an, von denen nur wenige das 20. Jahrhundert überdauerten.

Die in den intimen Couture-Salons in der Rue Cambon präsentierte Schau wurde von Livemusik der französischen Kultsängerin Dani begleitet (»Ich wollte eine Nachtclub-Atmosphäre wie im alten Bal Tabarin«, sagte Karl Lagerfeld). Einige der bekannten Supermodels, darunter Linda Evangelista, Naomi Campbell, Eva Herzigová, Carla Bruni, Laetitia Casta und Nadja Auermann, waren versammelt, um die speziellen Modelle dieser limitierten Kollektion vorzuführen. »Das hier sind überaus luxuriöse Zweiteiler«, erklärte Lagerfeld, »Kreationen zwischen Haute Couture und Prêt-à-porter, die dem tatsächlichen Bedarf nach individuellen Stücken, die das ganze Jahr über tragbar sind, entsprechen.«

»DUALITÄT DER KONTRASTE«

Für diese neue Kollektion mixte Lagerfeld Haute-Couture-Verzierungen mit strenger Schneiderkunst. »Paradox, ein Mix aus Strenge und Frivolität – so ist die neue Sinnlichkeit: vieldeutig«, erklärte der Modeschöpfer und fügte hinzu, dass die neue Kollektion »von ihrer Ausstrahlung her so überaus französisch« sein sollte, »wie es nur ein Ausländer sein kann«.

Die von Schwarz-Weiß-Kontrasten geprägte Kollektion umfasste sorgfältig geschneiderte Jacken, die mit Fransen- oder Volantröcken kombiniert waren, und bauschige Blusen zu schmalen Bleistiftröcken – bei dieser Schau fanden die beiden Ateliers, die bei jeder Haute-Couture-Kollektion zusammenarbeiten, eine perfekte Bühne: das *Atelier flou* (zuständig für Blusen, Röcke und Kleider) und das *Atelier tailleur* (zuständig für Kostüme). Auch die Arbeit der *Paruriers* (Accessoire-Hersteller) kam zur Geltung: Diese schufen ergänzend zur schicken Tages- und Abendgarderobe die wunderbaren Stickereien und den spektakulären Chanel-Echtschmuck.

»COCO HAT ES VON DEN JUNGS ABGESCHAUT«

Für diese Chanel-Kollektion, die auf einem asphaltierten Laufsteg mit der Bezeichnung »Einbahnstraße« präsentiert wurde und den Titel »Coco hat es von den Jungs abgeschaut« trug, schlug Karl Lagerfeld die Maskulin/Feminin-Richtung ein. Damit erinnerte er daran, dass Coco Chanel einst zahlreiche Elemente aus der Herrenmode entliehen und für die Damengarderobe uminterpretiert hatte. »Ich glaube an Männer und Frauen, die sich Jeans, Jacken und T-Shirts teilen«, verkündete Lagerfeld.

Die Kollektion umfasste Biker-Jacken sowie kastig geschnittene Cardigans, sportliche Pullis und Herrenschuhe, griff aber auch die berühmte Tweedjacke wieder auf, die hier in einer Unisex-Version von männlichen und weiblichen Models vorgeführt wurde. Auch Sportbekleidung wurde präsentiert, darunter eine »Ski-Linie«, die Tweed, Kaschmir, Strick, Mohair und Denim mixte und als Anspielung auf Mademoiselles eigene wegweisende Sportkollektionen der frühen 1920er-Jahre zu verstehen war.

EINE KREUZFAHRT AUF DER SEINE

Für die Cruise-Kollektion 2004–2005 lud Karl Lagerfeld seine Gäste zu einer echten Seine-Kreuzfahrt an Bord eines Pariser Flußschiffes ein. Die typischen Elemente des Chanel-Stils mischten sich dabei mit nautischen Anklängen, von marineblauen Blazern (selbstverständlich mit eigenem Chanel-Abzeichen), die über knielangen, gefältelten Röcken getragen wurden und einen 1920er-Jahre-Tennisspieler-Look assoziierten, bis hin zu Muschel- und Korallen-Colliers sowie Armbändern mit Fisch-Amuletten.

Auch Tweed erhielt mit leuchtend bunten Badeanzügen im Tweed-Print und Tennispullis mit Tweedbesätzen eine sommerliche Note, wobei Hemdkleider mit eingearbeiteten Tweed-Cardigans für einen Trompe-l'œil-Effekt sorgten. Abendkleidung in Gestalt fließender, hauchzarter Maxikleider in Beige-, Schwarz- und Blautönen rundete die Kollektion ab.

CHANEL
5

»CHANELS DUOS«

Karl Lagerfeld baute diese Haute-Couture-Kollektion auf der Idee des Duos auf: Fast jedes Outfit hatte eine doppelte Identität und konnte somit unterschiedlich interpretiert werden. Während die Models über den Laufsteg gingen, fügten sie ein Element zum Ensemble hinzu oder nahmen eines weg, von Mänteln oder Jacken bis zu Capes oder Schleiern.

Schwarz und Weiß dominierte die Schau, die auf einer strahlend weißen, geometrisch gestalteten Bühne in den Ateliers Berthier (in denen die Kulissen der Pariser Oper aufbewahrt werden) präsentiert wurde. Die Kollektion spielte mit Volumen und Materialien: Tweedkostüme wurden mit schräg geschnittenen Kleidern in darauf abgestimmten Stoffen kombiniert, Chiffonkleider mit hohen Taillen wurden über langen Shiftkleidern aus Guipurespitze getragen, die die Silhouette optisch verlängerten, und voluminös geschichteter Tüll verlieh eleganten schwarzen Abendkleidern eine aufregende Note.

ROTER TEPPICH

Chanel stattet seit Jahrzehnten einige der berühmtesten und elegantesten Schauspielerinnen weltweit aus, von Jeanne Moreau, Romy Schneider und Marlene Dietrich zu Coco Chanels Zeiten bis hin zu Nicole Kidman, die Werbebotschafterin in einer Anzeigenkampagne für Chanel N°5 war (das meistverkaufte Parfum der Welt). Um die engen Verbindungen dieser Stars zum Modehaus zu würdigen, brachte Karl Lagerfeld den von Baz Luhrmann gedrehten Chanel-N°5-Werbespot auf den Laufsteg. Zur Modelparade auf dem glamourösen roten Teppich lief der Song »Fame« von David Bowie.

Eröffnet wurde die Schau von den Mode-Superstars Linda Evangelista, Amber Valletta, Shalom Harlow, Naomi Campbell, Kristen McMenamy, Eva Herzigová und Nadja Auermann, die in festliches Schwarz gekleidet den roten Teppich abschritten, bevor sie am Ende des Laufstegs für die Fotografen posierten. Die Kollektion beinhaltete eine Reihe eleganter Abendmodelle, darunter ein langes schwarzes Samtkleid mit tiefem Rückenausschnitt. Das Kleid, das Nicole Kidman in Baz Luhrmanns Werbespot getragen hatte, gab den perfekten Untergrund für die aus Weißgold und Diamanten gefertigte Kette mit »N°5«-Anhänger ab. Die im Publikum anwesende Schauspielerin kam am Ende der Schau zu Karl Lagerfeld auf den roten Laufsteg-Teppich, gefolgt von einem Schwarm Fotografen.

CHANEL

CHANEL IN JAPAN

Die in Japan präsentierte Paris–Tokio-Kollektion war den fünf Métiers-d'Art-Ateliers gewidmet, die Chanel 2002 übernommen hatte. Sie wurde anlässlich der Eröffnung von Chanels neuem zehnstöckigen Turm im Szene-Einkaufsviertel Ginza gezeigt. Das weltweit größte Geschäft des Modehauses wurde von dem amerikanischen Architekten Peter Marino entworfen und verfügt über eine Dachterrasse, die »Le Jardin de Tweed« genannt wurde, und ein luxuriöses Alain-Ducasse-Restaurant namens »Beige«.

»Die Fünf ist Chanels magische Zahl«, erklärte Lagerfeld, »und diese fünf Häuser beherrschen Chanels Sprache.« Die Kollektion war als Dialog zwischen Japans Hypermodernität und der traditionsreichen Handwerkskunst der Pariser Chanel-Ateliers gedacht. Tweedmodelle und Strickwaren waren mit Goldfäden bestickt, mit kleinen Sternen übersät oder an den Kanten mit Borten besetzt, während die Proportionen mit Kontrasten spielten (wie etwa bei Mini-Kilts, die mit Maxi-Kaschmirpullovern kombiniert waren). Der von der Welt der Manga-Comics inspirierte Frisuren- und Make-up-Look ergänzte die futuristische Note. »Es geht um das edle Detail«, sagte Lagerfeld gegenüber *Women's Wear Daily*. »Und es gibt auch eine Art japanisches Rock-Feeling.«

DER FRANZÖSISCHE GARTEN

Die Kollektion wurde in einem vom 18. Jahrhundert inspirierten, eleganten »Garten« mit einem achteckigen grauen Steinbassin, weißen Rankgittern und mit blühenden Kamelien geschmückten Formschnittpflanzen präsentiert. Die Szenerie nahm sowohl den beeindruckenden Grand-Palais-Garten von 2011 (siehe Seite 484–487) als auch die Kulisse der Cruise-Kollektion von 2012 in Versailles (siehe Seite 520–523) vorweg.

Vom Zeitalter der Aufklärung inspiriert, variierte Lagerfeld das legendäre Tweedkostüm mit veränderten Proportionen in Schattierungen von Elfenbein, Perlenfarben, Rosa, Flieder und Schwarz, wobei der Rock in zahlreichen Varianten auftauchte: mit Borten besetzt, mit Fransensaum, in Falten gelegt, mit großen Gürteln ausgestattet, die Schnallen teilweise mit Pailletten besetzt – um nur einige davon zu nennen.

Kardinalshüte, weiß gefiederte Perücken anstelle gepuderter Haare, gekräuselte Ärmel und elegante Pumps – Bestandteile der Mode des 18. Jahrhunderts aus der Blütezeit des Hofes von Versailles – waren hier zeitgenössisch interpretiert. Die zahlreichen Schleifen, die die Oberteile von Madame de Pompadours Kleidern in vielen Porträts zieren, wurden in dieser Kollektion auf kurze Spitzenkleider übertragen.

DAS KLEINE SCHWARZE

Für diese Kollektion imitierten Karl Lagerfelds Models mit ihren Minikleidern und ihrem grafischen schwarz-weißen Augen-Make-up das legendäre, von Diana Vreeland entdeckte Model der 1960er-Jahre, Penelope Tree. Von starken Schwarz-Weiß-Kontrasten geprägt, feierte die Kollektion den 18. Geburtstag des kleinen schwarzen Kleides, dem Coco Chanel den Weg geebnet hatte und das hier in zahllosen Varianten auftauchte: nüchtern und streng mit Hemdkragen und weißen Ärmelaufschlägen, in gefälteltem Musselin mit einem romantischen dreifachen Pelerinen-Kragen oder in einer Cocktail-Version in schwarzem Satin mit Perlen und Bändern.

Die Kollektion zelebrierte auch den Geburtstag, diesmal den 50., der berühmten 2.55-Stepptasche, die Coco Chanel im Februar 1955 entworfen hatte. Lagerfeld gab ihr den Ehrenplatz in der Schau, kombinierte sie mit Tages- und Abend-Outfits und präsentierte eine Version im Vintage-Look, in patiniertem schwarzen oder grauen Leder mit Silber- und Goldketten.

ANEL

CHANEL AUF RÄDERN

Paris lieferte die Kulisse für die neue Cruise-Kollektion: Karl Lagerfeld lud seine Gäste auf die Place de la Concorde ein. Hier wurden sie von einer Flotte grüner Oldtimer-»Chanel«-Busse erwartet, die sie zu einer Fahrt über die Seine und in das schicke Viertel Saint-Germain-des-Prés mitnahmen. Bei gelegentlichen Zwischenstopps wechselten die Models, die in den Gängen zwischen den Passagieren paradierten, den Bus. »Als Schuljunge bin ich immer sehr gern mit dem Bus durch Paris gefahren«, sagte Lagerfeld zu *Women's Wear Daily.* »Ich liebte es, die Stadt zu betrachten.«

Bunt, heiter und gewürzt mit witzigen Accessoires, darunter Mini-Eiffeltürme als Glücksbringer an Armbändern, war die von Lagerfeld als »unbeschwert und leicht« beschriebene Kollektion eine Huldigung an Paris. Als Endstation wurde daher einer der kultigsten Orte der Stadt gewählt: Im Café de Flore, dem einstigen Stammcafé von Guillaume Apollinaire, Pablo Picasso, Jean-Paul Sartre und Simone de Beauvoir, versammelten sich die Gäste, um sich an einer Parade raffinierter Abendkleider zu erfreuen.

CROISIERE 2005/6 LIGNE CONCORDE - CAFE DE FLORE
CHANEL
PLACE DE LA CONCORDE
CAFE DE FLORE
MARDI 17 MAI 2005
Départ : 10 H 30 précises
-
Place de la Concorde
PONT DES TUILERIES
PONT ROYAL
PONT DES CARROUSEL
RUE DES S.T. PERES

»VERSTECKTER LUXUS«

Diese Kollektion mit dem Titel »Versteckter Luxus« wurde in den Ateliers Berthier, einem Saal im Odéon-Théâtre de l'Europe in Paris präsentiert. In einem weißen Raum waren die Sitze um eine Bühne aus konzentrischen Kreisen angeordnet. 50 Models in schwarzen Mänteln betraten nacheinander den Laufsteg und nahmen ihre Positionen auf der Bühne ein.

Jeder dieser 50 schwarzen Mäntel war unterschiedlich gestaltet: Die Materialien reichten von Lackleder bis Seide, Perlen und Federn, und die Schnitte und Silhouetten erstreckten sich von einem Mantel im Edwardianischen Stil über ein weites Cape, ein glockiges Chasuble, einen ausgestellten Kimono, einen weiten Übermantel bis zu einem paillettenbesetzten Gehrock. Selbst die Schwarzschattierungen variierten von Obsidian bis Jett, matt, schimmernd oder glänzend.

Plötzlich wurden die 50 Mäntel geöffnet, um ebenso viele luxuriöse Kleider und Kostüme zu enthüllen – der »versteckte Luxus« kam zum Vorschein – und in Anspielung auf Coco Chanels aufeinander abgestimmte Kleid-Mantel-Ensembles spiegelte sich das Mantelfutter, das von Tweed bis zu Stoffen mit aufgestickten Kamelien reichte, jeweils in den Farben und Materialien des Kleides wider. Das prächtige, aus über 2000 Kamelien komponierte Hochzeitskleid, das mit einem weiten Taftcape kombiniert war (mit Coco Chanels Lieblingsblume im Futter), passte perfekt in das Konzept der Kollektion.

»COCO TRIFFT JAMES DEAN«

Zum Sound von »This Town Ain't Big Enough for Both of Us« von den Sparks in einer Coverversion von Justin Hawkins, dem Leadsänger der Darkness, veranstaltete Lagerfeld ein imaginäres Treffen zweier Stilikonen für die Kollektion, die er »Coco trifft James Dean« nannte. Coco Chanel und der Schauspieler waren sich zwar nie begegnet – die Modeschöpferin hatte jedoch mit der Wiedereröffnung ihres Couture-Hauses ihr Comeback genau im Todesjahr von James Dean –, aber sie waren beide auf ihre Art rebellische, nonkonformistische Persönlichkeiten.

Die Kollektion entfaltete sich auf einem Laufsteg, der von einem riesigen Bildschirm gerahmt war, und mixte Stilelemente aus dem Film *Denn sie wissen nicht, was sie tun* mit typischen Chanel-Symbolen. Denim in Form von Jeans, die sehr eng oder wie Bermudashorts geschnitten waren, wurde kombiniert mit Chanels schwarz-weißem Tweed, Strohhüten, die mit glitzernden schwarzen Bändern verziert waren, und geschmeidigen Stiefeletten oder Sandalen, die von Ledergamaschen zusammengehalten wurden. Tweedjacken waren mit Metallketten geschmückt und barocke Kreuze auf Röcke gedruckt, während Bermudashorts oder Badeanzüge aus Jersey mit Lederjacken im Vintage-Look kombiniert wurden, die ein Markenzeichen des Schauspielers waren.

CHANEL

CHANEL IN NEW YORK

Nach der Schau in Tokio (siehe Seite 348–349) brachte Karl Lagerfeld die Métiers-d'Art-Kollektion anlässlich der Eröffnung von Chanels Flagshipstore in der 57th Street nach New York. Die Boutique wurde zwei Tage geschlossen, um sie für die Schau, bei der der Folksänger Devendra Banhart für ein ausgewähltes Publikum spielte, in einen großen Laufsteg zu verwandeln.

Lagerfeld wartete mit einer vorwiegend schwarzweißen Kollektion auf, bei der gelegentlich etwas Silber, Gold und helles Rosa aufblitzte. Der markante Frisuren- und Make-up-Stil bestand aus kirschroten Lippen und von schwarzen Seidenbändern gehaltenen Marcel-Wellen der 1920er-Jahre. Ein Highlight der Kollektion stellten die Accessoires dar: schimmernde Melonen von Maison Michel, die die Models androgyn wirken ließen, aufwendige Perlenstickereien von Lesage und nicht zuletzt der verschwenderisch eingesetzte Modeschmuck, von Gürteln mit Schmucksteinen und Broschen über Perlenketten bis hin zu unzähligen einfarbigen Armbändern.

CHANEL, ALLES ÜBERRAGEND

Die von der Modekritikerin Sarah Mower als »Chanel pur, in einem Perfektionsgrad, wie ihn nur die Haute Couture bietet« beschriebene Kollektion war eine Hommage an die handwerklichen Leistungen der Branche und an die Chanel-Klassiker. Eröffnet wurde sie von dezenten einfarbigen Tweedkostümen mit betonter Taille und figurbetonten, teilweise in Bolero-Art geschnittenen Jacken mit Dreiviertelärmeln. Dazu wurden flache zweifarbige Lederstiefel kombiniert, inspiriert von einem Modell, das Coco Chanel in den späten 1950ern getragen hatte.

Märchenhafte Abendkleider waren mit Stickereien, Lamé, Pailletten, Perlen, feiner Spitze oder Straußenfedern geschmückt und in Schwarz und Weiß oder in weichen Grau-, Rosa- und Blautönen gehalten. Den Höhepunkt bildete das letzte Kleid der Kollektion, ein duftiges, zart besticktes weißes trapezförmiges Hochzeitskleid, das von Lily Cole vorgeführt wurde.

Die Schau endete mit einer Überraschung, als vor den Augen der Gäste die Säule in der Mitte des Laufstegs unter das hohe Glasdach des Grand Palais nach oben gesteuert wurde und den Blick auf eine blendend weiße Wendeltreppe freigab, auf der die Models posierten.

»PARIS AUF DER BÜHNE«

Für die Kollektion mit dem Titel »Paris auf der Bühne« wurde eigens für diesen Zweck im Grand Palais ein Theater samt Logen und Sperrsitzen für das Publikum errichtet. Chanels allgegenwärtiges Schwarz-Weiß dominierte die Kollektion, für die Miniröcke und Maxikleider mit oberschenkelhohen Stiefeln zu einem jungen Rock-'n'-Roll-Look gemixt wurden – vor dem Hintergrund von Serge Gainsbourgs melancholischen Chansons. »Heute dreht sich alles um Beine, und die Röcke müssen entweder sehr kurz sein oder sehr lang, nichts dazwischen«, erklärte Lagerfeld.

Mit Coco Chanels typischen Satinbändern und Schleifen im Haar trugen die Models zu Beginn der Schau Tweedjacken in klassischem Schwarz und Weiß zu Rüschenblusen, schwarzen Jeans oder ledernen Miniröcken. Es folgten schmale Mäntel und Abendkleider, deren Oberteile reich mit Kristallen und Stickereien verziert waren, ebenso wie die aufgesetzten Bänder und die Gürtel. Dafür wurden sakrale Motive wie Kreuze und die Ornamentik von bunten Kirchenfenstern entlehnt; das Ganze wurde begleitet von großen, byzantinisch anmutenden Broschen.

GRAND CENTRAL STATION

Chanel kam nach der im eigenen Flagshipstore präsentierten Métiers-d'Art-Kollektion zum zweiten Mal innerhalb von sechs Monaten nach New York (siehe Seite 368–371) und wählte diesmal einen kultigen, außergewöhnlichen Ort aus: die Grand Central Station mit ihrem niemals ruhenden Pendlerverkehr.

»In gewisser Weise ist New York die Hauptstadt der Welt«, sagte Lagerfeld, begeistert von der Dynamik der City. »Ich muss sagen, ich mag das, wie all die Leute, mit denen ich arbeite, nach New York kommen, um zu sehen, was los ist – eine solche Energie auf den Straßen haben wir in Paris nicht«, fügte er hinzu. »In der Cruise-Show dreht sich alles ums Reisen, weshalb der Bahnhof gut als Symbol passt ... außerdem habe ich diesen Raum schon immer geliebt. Ich finde, das ist einer der schönsten Orte New Yorks.«

Die Models, die zu Rockmusik über den Laufsteg gingen, führten eine feminine, aber durchaus eigenwillige Kollektion mit Rockstar-Touch und einer Fülle an Accessoires vor, von Ladungen voller Armreifen bis hin zu langen Bändern, auffallenden Ohrringen und kniehohen Gladiatoren-Sandalen aus Lackleder.

COUTURE-JEANS

Die in einem kreisrunden Zelt im Bois de Boulogne am Stadtrand von Paris präsentierte Kollektion wurde von der Modekritikerin Sarah Mower als »Mittelalter-Mod« bezeichnet. Darin vermählten sich sehr kurze Röcke und Couture-Versionen der oberschenkelhohen Stiefel, die der Blickfang in Chanels vorangehender Prêt-à-porter-Kollektion gewesen waren (siehe Seite 376–379), mit luxuriösen Stickereien, die an prachtvoll illuminierte Handschriften des Mittelalters erinnerten.

Anders als in der Haute Couture üblich, verwendete Lagerfeld auch Denim, den er in lange, fingerlose Handschuhe und oberschenkelhohe Stiefel aus echten Jeans verwandelte, denn »wahrer Luxus bedeutet, die Freiheit zu besitzen, die Dinge mixen zu können«. »Diese Kollektion spielt mit Proportionen«, fuhr er fort. »Was zählt, ist die Bewegung, eine Silhouette für die Stadt und für das moderne Leben – eine starke Ausstrahlung, eine Art optischer Aggressivität … schmale Schultern, voluminösere Ärmel, ein kleiner Kopf, ein schlanker Körper und endlos lange Beine: Das ist das Schönheitsideal unserer Zeit.«

WEISS UND GOLD

Die in einem überdimensionierten Ankleideraum im Grand Palais präsentierte Schau begann mit einer Parade, bei der die Models wie zu Coco Chanels Zeiten zwischen den Anproben in der Kabine in kurze weiße Baumwollmäntel gehüllt waren. Hier dienten sie als ideale Grundlage für jede Menge Schmuck, von Kamelien-Broschen bis hin zu Armreifen (teilweise mit eingravierten Zitaten von Mademoiselle Chanel), schmuckbesetzten Gürteln, Ketten- und Perlenhalsbändern.

Accessoires standen im Vordergrund, vom stets vertretenen Schmuck bis hin zu runden Sonnenbrillen im Stil der 1960er-Jahre, durchsichtigen Plexiglas-Plateauschuhen und Keilabsätzen. Die Silhouette war sehr kurz (und beinhaltete eine Reihe hoch geschnittener Hotpants, mit schwarzen Pailletten besetzt) und die Taille oft durch goldene oder mit Monogramm versehene Gürtel betont, während sich farblich alles auf eine zurückhaltende Palette aus Weiß, Schwarz, Grau, Gold und Silber beschränkte.

Das Urlaubsfeeling der Kollektion wurde durch eine Serie raffinierter weißer Badeanzüge (in Jersey mit Tweed-Effekt) betont, die mit viel Schmuck kombiniert waren – »eher etwas für ein Mittagessen am Pool«, bemerkte Karl Lagerfeld.

LE TRAIN BLEU

Die im Opernhaus von Monte Carlo in Monaco präsentierte Kollektion war von Djagilews Ballets Russes, insbesondere vom Avantgarde-Stück *Le Train Bleu* (Der blaue Zug) von 1924 inspiriert, für die Coco Chanel die Kostüme entworfen hatte. Das Ballettstück mit einem Text von Jean Cocteau, der mit Coco Chanel befreundet war, wurde nach dem luxuriösen »Train Bleu« benannt, der Paris (bzw. Calais, für Jetsetter aus London) mit der Côte d'Azur verband. Hier ließ sich Coco Chanel 1929 die prächtige Villa La Pausa erbauen.

»Es gibt Anklänge an Ballett und an das russische Militär, aber im Grunde ist es ein sehr urbaner Look«, erklärte Karl Lagerfeld. Eingeteilt in drei »Akte«, Tag, Cocktail und Abend, rückte die Kollektion das Können der kunsthandwerklichen Ateliers (Métiers d'Art), die das Modehaus Chanel erworben hatte, in den Vordergrund. Sie zeichnete sich durch romantische und barocke Noten wie aufwendigen Modeschmuck von Maison Desrues, reich verzierte Lacktaschen mit farbigen Steinen, Satin und endlosem Tüll sowie zarte Satinslipper mit großen Schleifen aus. Es ging vor allem darum, »Schichtungen auf schwerelose Weise« zu erzeugen, erläuterte Lagerfeld.

COCO CHANEL
PARIS - MONTE CARLO
ROSSINI

»VERTIKALE FLEXIBILITÄT«

Eingeleitet von fünf Chanel-Boys in schwarzseidenen Overalls, die einen riesigen Teppich mit dem Doppel-C ausrollten, und begleitet von der Sängerin Cat Power, die den Live-Soundtrack (darunter Cover-Versionen der Stones und von Smokey-Robinson-Klassikern) beisteuerte, setzte Karl Lagerfelds neue Haute-Couture-Kollektion auf Leichtigkeit und Transparenz.

Die Models trugen flache Schuhe oder solche mit kleinem Absatz von Massaro aus Ziegenleder, Satin, Krokoleder und Rips sowie schmale Tüllbänder über den Augen. »Eine moderne Hutschleier-Variante«, bemerkte Lagerfeld. »Sie schützt und macht den Look geheimnisvoller.«

Die Kollektion wirkte so leicht wie der Tüll, der Organza und die Tausende Federn, mit denen sie übersät war. »Ich wollte eine Kollektion zum Thema ›vertikale Flexibilität‹ machen«, erklärte Lagerfeld. Der führende Federschmuck-Macher Lemarié arbeitete mit 26 verschiedenen Federarten, vor allem Strauß und Marabu, in Schwarz, Weiß, Grau, Marineblau, Hellrosa und Hellgrün (alle Handschuhe, Ohrringe und der Haarschmuck waren aus Straußenfedern), während der Schmuckhersteller Desrues über 150 Paar große, von afrikanischer Kunst und Mustern der 1960er-Jahre inspirierte Creolen entwarf.

Als Hommage an den einzigartigen Beitrag der Chanel-Werkstätten hob sich am Ende der Schau der Vorhang für die Models, das Team, die Studiodesigner, Amanda Harlech sowie die Leiterin des Kreativstudios, Virginie Viard, die Lagerfeld folgten, um in den Applaus einzufallen.

PARIS IM SCHNEE

Als stimmungsvolle Kulisse schuf Chanel für die Kollektion eine romantische Winterlandschaft samt Eisfläche, Schneeverwehungen und riesigen, von der Glaskuppel des Grand Palais hängenden Wolken. »Diese Wolken bestanden aus 6000 Metern Tarlatan und waren an einer Metallkonstruktion befestigt – das Ganze wog 20 Tonnen«, verriet Karl Lagerfeld. Und beim Finale schneiten Tausende Papierflocken auf die Models, was die Szene noch poetischer machte. »Eine Anspielung auf den Klimawandel, über den alle reden. Und ich liebe verschneite Städte«, sagte Karl Lagerfeld.

Der Modeschöpfer brach mit der Tradition der gedeckten Farben des Hauses und brachte flammendes Rot, leuchtendes Türkis, schrilles Gelb, grelles Violett sowie Pflaumen- und Himbeertöne zum Einsatz. »Mademoiselle Chanel arbeitete mit der Farbe Beige, selbstverständlich, und mit Schwarz, aber sie verwendete häufig auch eher bunte Farben, zum Beispiel Rottöne. Ihre Tweedmodelle waren sehr farbenfroh. Und auch wenn ich Schwarz und Weiß liebe – es lag Farbe in der Luft, und ich entwickelte eine regelrechte Sehnsucht danach.«

»CHANEL LINE«

17.30 Uhr, Freitag, 18. Mai 2007, Hangar Nr. 8, Santa Monica Airport, Los Angeles – so lauteten die Flugdaten. Chanel lud Hollywoodstars wie Demi Moore, Lindsay Lohan, Diane Kruger, Dita Von Teese und Milla Jovovich zu einer Präsentation der neuen Cruise-Kollektion an Bord.

Der Hangar hatte sich in eine exklusive Airport-Lounge mit drei Cocktailbars, persönlichem Handgepäck auf jedem Sitz (mit Fotografien der Kollektion von Karl Lagerfeld und einer Flasche Chanel N°5, das schon Hollywood-Ikone Marilyn Monroe trug) sowie Ankunfts- und Abflugtafeln der »Chanel-Line«-Flüge verwandelt – die Gäste erlebten mit, wie sich nicht etwa nur ein, sondern gleich zwei Challenger-601-Jets mit CC-Monogrammen dem Laufsteg näherten.

Den Flugzeugen entstiegen die Models. Als erste betrat Raquel Zimmermann das Rollfeld in einem marineblauen Overall mit Streifen im unteren Ärmelbereich. Nicole Phelps beschrieb ihn als »Mischung aus Kapitänsuniform und Reiseoutfit einer Erste-Klasse-Passagierin, gleichzeitig tauglich für den Jetset«. Ihr folgten weitere Models, die Neuinterpretationen des Westcoast-Klischees von Bermudashorts und sportlichen Caps bis hin zu langen, schwarzen, paillettenbesetzten Morgenmänteln vorführten.

»Flughäfen und Fliegen sind zu einem Albtraum geworden«, erklärte Karl Lagerfeld. In L. A. geht es um Privatjets, schöne Autos und Glamour, und in Cruise-Kollektionen geht es um den Traum von Freiheit.«

N722HP

»PROMINENTEN-EFFEKT«

Der 460 Hektar große idyllische Schlosspark von Saint-Cloud, vom Architekten der Schlossgärten von Versailles André Le Nôtre Mitte des 17. Jahrhunderts entworfen, diente als Kulisse für eine Haute-Couture-Kollektion, die sich in ungewohnter Manier auf die Profilansicht der Models und ihrer Kleidung konzentrierte.

»Das ist der Prominenten-Effekt«, kommentierte Karl Lagerfeld. »Wir denken immer nur an die Vorder- oder Rückansicht, kümmern uns aber nie wirklich um das Profil. Außerdem macht es eine schlanke Silhouette ... vorn ist alles flach, alle Effekte sind hier seitlich.« Kurze Tweedkostüme wurden mit breiten Borten, Kleider mit Perlenketten, Satinschleifen, Organzabordüren oder silberglänzenden Bändern geschmückt und lange Kleider mit wertvollen Steinen dekoriert, die auf bauschigen Tüll gestickt waren.

»Die Linie wird von Kopf bis Fuß durchgehalten«, fügte Karl Lagerfeld hinzu und wies auf etwa 30 Hauben im Charleston-Look hin, hergestellt von Maison Michel in Tweed, Tüll, Spitze oder Organza und mit Pailletten, Steinen, Federn oder Kamelien geschmückt. Diese ungewöhnlichen futuristischen Kreationen »verleihen wertvollen Dingen einen Hauch Modernität und erinnern in gewisser Weise an Barbarella«, meinte der Modeschöpfer.

»SUMMER NIGHTS«

Die Models betraten den breiten nachtblauen Laufsteg von einer riesigen marineblauen Schleife aus – ein Markenzeichen des Modehauses –, um diese dann zu umrunden: Die Kollektion mit dem Titel »Summer Nights« nahm allgemein Anleihen bei der amerikanischen Kultur: Mit einer Reihe Denim-Outfits (darunter auch Jeans-Badeanzüge) wurde die Schau eröffnet, und das allgegenwärtige marineblaue Sternenmuster – selbstverständlich in Verbindung mit dem Chanel-Logo – auf Kleidern und Overalls vervollständigte zusammen mit rot-weiß gestreiften Jacken den Stars-and-Stripes-Effekt.

Gepolsterte Schultern wie in den 1940er-Jahren, Einteiler und Plateauschuhe zogen sich durch die gesamte Kollektion, letztere wurden gemeinsam mit einer Neuheit präsentiert – der »Ankle Purse«: Mini-Versionen der bekannten 2.55-Handtasche aus Stepp oder Tweed wurden am Fußknöchel befestigt, entweder am nackten Bein oder über Hosen (»wie eine Hosenklammer zum Radfahren«, scherzte Lagerfeld), untermalt vom Song »Be My Baby« von den Ronettes.

LONDON CALLING

»Für Chanel war es ein Traum, in London zu sein – aber ich komme nicht so oft hierher, weil ich nur in Städte reise, in denen ich arbeite«, sagte Lagerfeld zu Suzy Menkes. Das bezog sich auf Coco Chanels Verbindung zum englischen Stil, der von ihren Beziehungen zu dem britischen, Polo spielenden Geschäftsmann Arthur »Boy« Capel, ihrer großen Liebe, und zu dem märchenhaft reichen Herzog von Westminster geprägt war. Capel hatte ihr erstes Ladengeschäft finanziert, und zusammen mit dem Herzog von Westminster hatte sie England und Schottland bereist, die Heimat des Tweed.

Bei der Schau, die im Auktionshaus Phillips de Pury in Victoria präsentiert wurde, traten auch Irina Lazareanu, Model und Sängerin, sowie Sean Lennon, Sohn von John Lennon und Yoko Ono, am Piano auf. Weitere Verweise auf Londons musikalisches Erbe gab es in Form von Broschen und Sicherheitsnadeln, die vom Punk inspiriert waren, sowie einem Amy-Winehouse-meets-Brigitte-Bardot-Look mit hochgetürmten Beehive-Frisuren und breitem Lidstrich.

Passend zum Schwarz von Chanels Schriftzug wurde die Kollektion dominiert von langen dunklen Kleidungsstücken, die, mit flachen Schuhen und Accessoires wie großen gotischen Kreuzen und Spitzenhandschuhen kombiniert, für einen Hauch »Camden Town« sorgten.

MODE MONUMENTAL

Hoch über den Köpfen der Gäste im Grand Palais rotierte eine riesige Chanel-Jacke aus Beton mit Taschen, Borten und Knöpfen mit Chanel-Logo. Als Hommage an Coco Chanels zukunftsweisendes Design und ihre fundamentale Bedeutung sowohl für die Geschichte als auch die Gegenwart der Mode diente die Jacke als Hintergrund für die Couture-Kollektion.

»Viele denken, Chanel habe nur die Jacken gemacht, aber anfangs gab es alle möglichen Formen«, erklärte Lagerfeld Suzy Menkes und bezog sich dabei auf Fotografien aus den 1930er-Jahren, die Coco Chanel in weiten Satinhosen und Spitzenrüschen zeigten.

Unter der kolossalen Jacke (von *Vogue* mit einem riesigen Felsen im Meer verglichen) traten die Models in kurzen Tuniken und zierlichen Ballerinas auf, um eine vom Meeresgrund sowie den Spiralformen und zarten Farben von Muscheln inspirierte Kollektion lebendig werden zu lassen – »Muschel Chanel«, scherzte Karl Lagerfeld.

Röcke und Kleider wiesen Drapierungen auf, die an die spiralförmige Struktur von Meeresschnecken erinnerten. Raffinierte muschelartige Spangen dienten als Verschluss an pastellfarbenen Boucléjacken, und kostbare plissierte Stoffe riefen Assoziationen an das Wirbeln und die Transparenz von Wasser hervor.

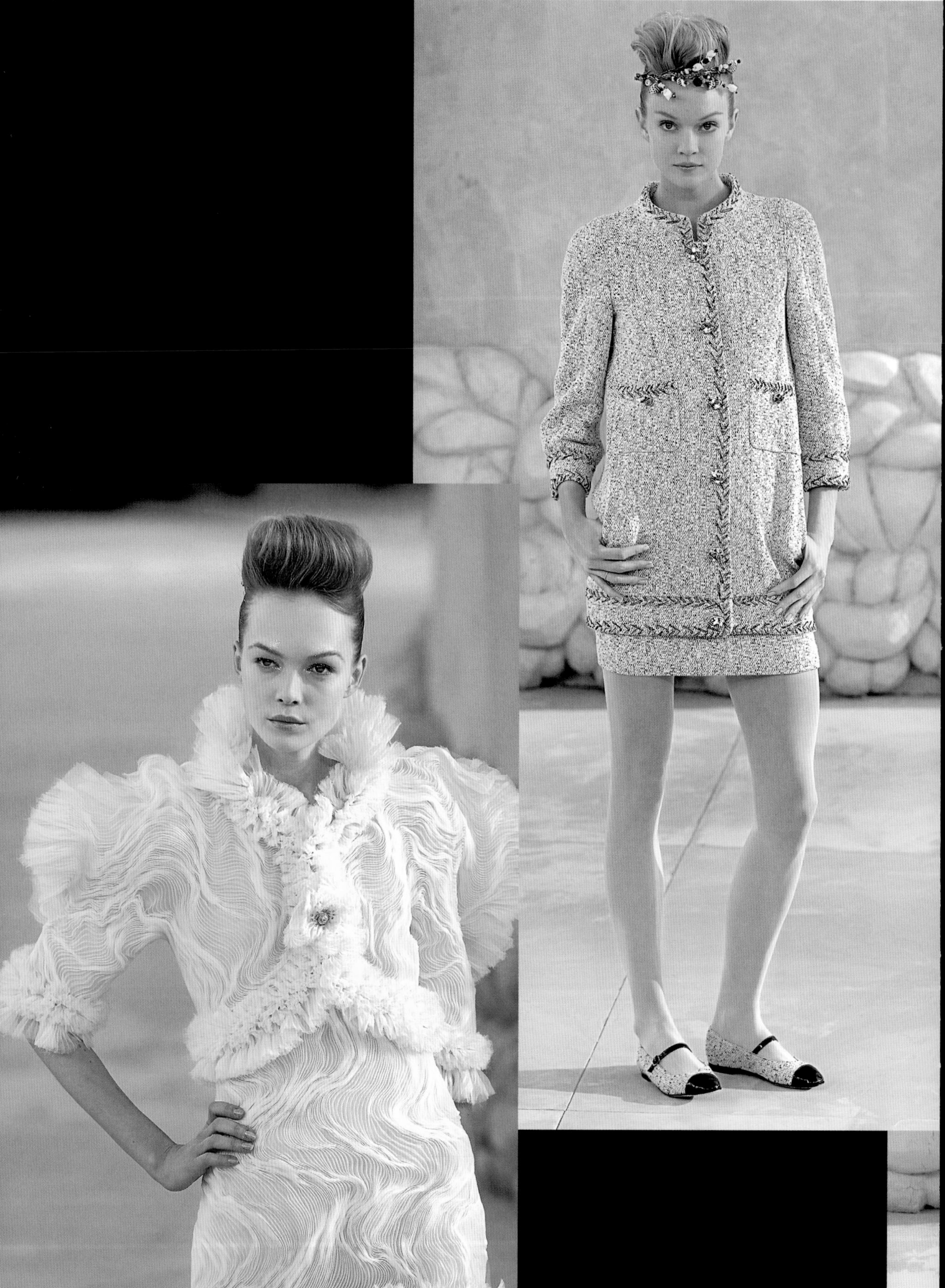

EIN CHANEL-KARUSSELL

Für diese neue Kollektion nahm ein großes Chanel-Karussell die Mitte der Bühne im Grand Palais ein. Als Attraktion dienten hier keine Pferdchen, sondern überdimensionale Ikonen des Chanel-Stils: Schleifen, Stepptaschen, ein Strohhut (die sogenannte Kreissäge war Coco Chanels Erkennungszeichen), Perlenketten, die Chanel-Jacke und noch vieles mehr. »Chanels Kern ist nach wie vor sehr französisch. Wir hatten alle typischen Symbole dabei: die Kamelie, die Knöpfe, die Perlen, die Handtasche, einfach alles«, erläuterte Lagerfeld. »Aber in der Show gab es fast nichts davon, bis auf eine kleine Handtasche, denn Mode muss sich ändern.« Laut Modekritikerin Sarah Mower war das Karussell eine »treffende Metapher für die Zeitlosigkeit der Klassiker des Hauses und die unaufhaltsam sich drehende Maschinerie, zu der die Mode geworden ist«.

Die berühmten, vollständig in Handarbeit hergestellten Chanel-Tweeds tauchten zwar in der Kollektion auf, allerdings in Form von Jacken, die absichtlich am Ellbogen ausgefranst waren und deren Gewebe sich auflöste. »Wenn man Sachen kauft, die sehr teuer sind, sollte man sie nicht so behandeln, als hätten sie sehr viel gekostet. Man sollte sie wie eine billige Jeans abtragen können«, meinte Lagerfeld gegenüber der Nachrichtenagentur AFP. »Es war ein Vergnügen für mich, mit ihnen [Chanels Tweedsachen] umzugehen, als wären sie nicht teuer.«

SPASS AM POOL

»Miami ist ein zeitloser, freier Ort. Erholung, Strand und Sonne das ganze Jahr über – die perfekte Location, um eine Cruise-Kollektion zu zeigen«, erklärte Karl Lagerfeld. Für diese Saison dachte sich der Designer eine Reihe entspannter Looks aus: Pastellfarben; viel sommerliches Weiß sowie Schwarz; Vinyl- und Tweedjacken; grafisch gestreifte Badeanzüge; Seidensatin- und Jeans-Schlaghosen; Spaghetti-Tops; gegürtete Jacken in beigem Frottee; weite Pullis und eine Kombination aus figurbetonenden und voluminösen Formen – alles mit einem Hauch von 1970er-Retro-Glamour.

Die Cruise-Kollektion wurde am Pool des legendären Art-Deco-Hotels Raleigh in Miami Beach, einer im Hollywood der 1940er-Jahre bekannt gewordenen Kult-Location, auf einem Laufsteg über dem Wasser präsentiert.

Die Schau endete mit einem überraschenden Finale, als das amerikanische Synchronschwimmer-Team mit Badekappen, Nasenclips und Chanel-Schwimmbrillen ein Wasserballett aufführte, das in einem von den Schwimmern gebildeten Doppel-C den Höhepunkt fand.

»ORGELPFEIFEN UND MUSIK«

Für die letzte Kollektion der Saison entwarf Karl Lagerfeld als Blickfang eine bis zu 37 Meter hoch unter das majestätische Glasdach des Grand Palais aufragende Säule aus Röhren. »Eines schönen Tages«, erzählte Lagerfeld, »besuchte ich ein Klavierkonzert ... damit fing es an. Es war die Orgel in der Salle Gaveau, die mich inspirierte.«

Die Kollektion rund um »Orgelpfeifen und Musik« nahm keinen direkten Bezug auf das Instrument. »Ich breite kein Thema aus«, betonte Lagerfeld. »Ich versuche nur, einen visuellen Effekt in Formen, Stickerei und Volumen zu übersetzen.« Die Form der Orgelpfeifen lieferte die Anregung zu den Röhrenfalten einiger Kleider und Mäntel, doch die Palette mit Stahl- und Metallfarben »ganz in Halbtönen« blieb der deutlichste Hinweis auf Lagerfelds ursprüngliche Inspiration.

»Ich mag diesen fast kindlichen Bob, der die Dinge vereinfacht – er erlaubt mir, mich ganz auf die Silhouette zu konzentrieren«, erklärte Lagerfeld. »Momentan wollte ich etwas mehr Volumen und neue Proportionen einbringen. Mademoiselle Chanel hat nicht nur schmale Formen kreiert, sie entwarf sogar Keulenärmel! Man muss sich weiterentwickeln, und etwas Struktur ist ganz elegant für Haute Couture.«

RUE CAMBON 31

Das Haus Chanel zog für diese neue Kollektion in den Grand Palais um, wo die Fassade des Geschäftsgebäudes in der Rue Cambon im Maßstab 2:1 nachgebildet wurde. Es gab nur eine Abweichung: Die Straße verlief nicht parallel zum Haus, sondern führte direkt auf dieses zu. »Das ist die Hollywood-Perspektive«, bemerkte Karl Lagerfeld. Das monumentale Bühnenbild bildete die Kulisse, während die eigentliche Schau einem Kurzfilm nicht unähnlich war, in dem Models die Rolle der schicken Pariser Kundinnen spielten.

1918 hatte Mademoiselle Chanel ihr Modegeschäft in der Rue Cambon 31 eröffnet. Das Gebäude beherbergt noch heute ihre Privatwohnung, die Haute-Couture-Salons, in denen ihre Modenschauen stattfanden, und zwei Haute-Couture-Ateliers im Obergeschoss.

Zu den Klängen von »Our House« von Madness huldigte die Kollektion mit einer aus Schwarz, Weiß, Rosa und Grau bestehenden Farbpalette dem klassischen Chanel-Stil. Das legendäre »Zweifarbmuster« verlagerte sich von den Schuhen zu den Strümpfen (über dem Knie matt, darunter durchscheinend), und die Chanel-Tragetasche tauchte in einer ledernen Luxusversion auf.

31
CHANEL
CHAN
CHANEL
31, RUE CAMBON

CHANEL

VON ZAREN ZU RUSSISCHEN BAUERN

Die Métiers-d'Art-Kollektion war der Hauptstadt eines Landes und einer Kultur gewidmet, die Coco Chanel von jeher fasziniert hatten – von ihrer Beschäftigung mit Djagilews Ballets Russes und ihren Beziehungen zu Igor Strawinsky und Großfürst Dmitri Pawlowitsch Romanow (dem Cousin des letzten Zaren Nikolaus II.) bis zu ihrer frühen Zusammenarbeit mit den von russischen Emigranten im Paris der 1920er-Jahre gegründeten Stickerei-Ateliers (wie Kitmir, gegründet von Dmitris Schwester, der Großfürstin Maria Pawlowna). Dazu gehörten auch der byzantinisch inspirierte Schmuck und die Duftkreation von Chanel N°5 sowie von Cuir de Russie (»russisches Leder«) zusammen mit Ernest Beaux, der einst Parfums für den Lieferanten des russischen Zarenhofes entwickelte.

Der im Théâtre Le Ranelagh in Paris präsentierten Kollektion ging die Vorführung von Karl Lagerfelds erstem Kurzfilm voraus, *Coco 1913 – Chanel 1923*, in dem das Liebesverhältnis zwischen Coco und Dmitri thematisiert wurde.
In der Schau vermischten sich unterschiedliche Einflüsse wie die Pracht des russischen Zarenreichs, die russische künstlerische Avantgarde des frühen 20. Jahrhunderts (vor allem das Werk von Ljubow Popowa, deren Gemälde *Malerische Architektonik*, 1918–1919, Lesage zu den geometrischen Stickereien für die Abendkleider inspiriert hatte) und die Ästhetik des Konstruktivismus. Slawische Folklore stand Pate bei den luxuriösen Varianten des Kokoschnik, eines traditionellen haubenartigen Kopfschmucks.

PARIS
MOSCO
Париж

DIE WEISSE KOLLEKTION

Unter dem Glasdach des historischen Cambon-Capucines-Pavillons präsentierte Chanel ein grandioses Setting ganz in Weiß, das Assoziationen an ein riesiges Pop-up-Buch wachrief. Es bestand aus einfarbigen Arrangements von insgesamt 7000 handgemachten Papierblumen, darunter Rosen und Gänseblümchen. Blätter und Blüten umrankten die 32 Säulen des Saals und waren über das Geländer der Treppe drapiert, von der aus die Models auftraten.

Unter dem Motto einer »neuen Bescheidenheit« griff Karl Lagerfeld auf Pop-up-Bücher als Inspirationsquelle zurück und ließ die Verspieltheit und Raffinesse dieser dreidimensionalen Werke in Kleider, Kostüme und sogar in die Kopfbedeckungen der Models einfließen. Sie trugen Kopfschmuck aus papierenen Kamelien, Anemonen, Blättern, Federn, Zweigen und anderen organischen Formen, den der japanische Künstler Katsuya Kamo entworfen hatte. Anregungen dazu fand er im Blumenthema der Kollektion sowie bei kunstvollen weißen Porzellanfiguren aus dem 18. Jahrhundert.

Karl Lagerfelds selbsterklärtes Ziel bestand bei dieser Kollektion darin, die Feinheit zarten Papiers auf traditionelle Stoffe wie Tweed, Taft, Organza und Seidensatin zu übertragen. »Papier ist mein absolutes Lieblingsmaterial: Ausgangspunkt beim Zeichnen und Schlusspunkt beim Fotografieren. Es liegt etwas im physischen Kontakt mit Papier, das ich nicht erklären kann. Im Grunde ein ganz einfaches Material, aber Lesage hat es in etwas Kostbares verwandelt.«

BELLE BRUMMELL

Im Anschluss an seine fast ausnahmslos weiße Kollektion (siehe Seite 438–441) widmete sich Karl Lagerfeld der Farbe Schwarz – und zwar allen Arten von Schwarz – in einer Kollektion, die auf onyxartig lackiertem Boden in acht aufeinanderfolgenden Räumen mit reinweißen Wänden präsentiert wurde.

»Die Kollektion heißt ›Chanel Belle Brummell‹ und bezieht sich auf den englischen Dandy Beau Brummell, den Erfinder des dunklen Kleidungsstils für Männer mit dem Schwerpunkt auf Krawatten, Tücher, Kragen und Manschetten«, erklärte Karl Lagerfeld. Daher gab es gefältelte Kragen und Manschetten aus weißem Tüll, Musselin und Taft, die Hals- und Handgelenkpartien von eleganten schwarzen Kleidern und adretten schwarzen Kostümen zierten.

Dieses Meer aus Schwarz wurde nur punktuell von zartem Rosa und Jadegrün unterbrochen und vom feinen Weiß der abnehmbaren Kragen und Manschetten kontrastiert, die Karl Lagerfeld konzipiert hatte, um die Garderobe zweifach verwendbar zu gestalten. »Es ist meine Aufgabe, Chanel mit der Zeit gehen zu lassen. Die Idee, ein Kleid zu verwandeln, ist modern. Ein Kleid – zwei Looks«, kommentierte er.

Die legendäre Jacke erhielt drei verschiedene Längen, wurde mit Fransenbordüren ausgestattet, in »Papier-Tweed« umgesetzt und mit gerade geschnittenen Männerhosen kombiniert. Die Mantelkleider, Kostüme und Abendkleider, zu denen von Maison Michel entworfene Hüte getragen wurden, bestanden aus geprägtem Stretchstoff, netzartiger Guipurespitze, Kaviar-Stickerei mit pechschwarzen Perlen, strukturierter Wolle, Glanzleder, Seidenjersey oder Crêpe.

CHANEL

»COCO AM LIDO«

Diese Cruise-Kollektion wurde auf der Strandpromenade des Lido di Venezia in der Abenddämmerung gezeigt. Es war Karl Lagerfelds Hommage an eine Stadt, die zu Coco Chanels bevorzugten Ferienzielen gehört hatte. Nachdem sie hier Sergei Djagilew begegnet war, hatte sie sich ab 1920 fast ein Jahrzehnt lang regelmäßig in der Serenissima aufgehalten.

Die Inspirationsquellen der Kollektion reichten von den satten Rottönen der Renaissance über Fortuny-Drucke und die Kaffeehaus-Treffpunkte der 1930er-Jahre bis zu Luchino Viscontis *Tod in Venedig* – Coco Chanel hatte den italienischen Regisseur, mit dem sie auch befreundet war, beim Start seiner Filmkarriere unterstützt. Den Anfang machten Dreispitz-Hüte und Mäntel, die an Casanova und die goldene Zeit des venezianischen Karnevals erinnerten. Von der Garderobe der Gondoliere entlehnte Streifen, verspielte Strandkleidung, reichlich Schmuck und elegante bodenlange Abendkleider folgten.

Die Kollektion wurde durch einen von Luisa Casati inspirierten Frisur- und Make-up-Stil im Rahmen gehalten. Die rothaarige, grünäugige italienische Gräfin und Kunstmäzenin mit einer wohldokumentierten Vorliebe für Maskerade und Exzentrik, die sich mit lebenden Schlangen schmückte und Geparden an diamantenbesetzten Leinen spazieren führte, gilt als Mode-Ikone der 1910er- und 1920er-Jahre.

CHANEL N°5

Von einer weißen, durch schwarze Linien in Quadrate geteilten Bühne ragten vier riesige Chanel-N°5-Parfümflakons, durch die die Models hervortraten, hinauf zum Glasdach des Grand Palais. »Was könnte legendärer sein als eine Chanel-Jacke und N°5?«, fragte Karl Lagerfeld, der die beiden Ikonen für die Haute-Couture-Kollektion vereinte.

Die Kollektion, die von einer Reihe eleganter Kostüme in Marineblau, Rot und Silber eröffnet wurde, spielte mit Länge und Proportion und kombinierte klare Silhouetten, die Assoziationen an »freie grafische Effekte und asymmetrische Linien« weckten. Die Gesichter waren mit nieten- und kristallbesticktem Tüll verschleiert. »Das ist ein koketter Schleier, der geheimnisvoll wirkt … Es kann ziemlich angenehm sein, zu sehen, ohne gesehen zu werden«, meinte Lagerfeld.

Bouffant-Frisuren (gelegentlich mit durchscheinenden, mit Silberdetails und Perlen übersäten Kapotthüten akzentuiert) begleiteten die gesamte Kollektion, die opulente Stickereien und wertvolle Stoffe in Szene setzte, von Musselinkleidern und kunstvollen Drapierungen bis hin zu bestickter Spitze, die, mit einem erinnernden Blick auf die Kleidungstraditionen am Hof von Versailles, gefaltet und gerafft wurde.

EIN BAUERNHOF MITTEN IN PARIS

»Ich bin auf dem Land aufgewachsen. Heutzutage ist die Umwelt ein großes Thema. Ich stellte es mir interessant vor, dazu eine Modenschau zu entwickeln«, verkündete Lagerfeld und ließ für seine Kollektion diese ländliche Kulisse im Grand Palais aufbauen: einen großen Chanel-Bauernhof samt neun Meter hoher Scheune, Heuhaufen und Blumengirlanden, in dem am Ende der Schau ein Minikonzert von Lily Allen gegeben wurde.

Inspiriert zu diesem idyllischen Dekor wurde Lagerfeld von Fragonards Gemälden und Marie Antoinettes idealisiertem Dörfchen in Versailles. Er präsentierte eine helle, zartfarbige Kollektion mit einer aus Naturweiß-, Crème- und Beigetönen, aber auch Rosa, Koralle und blassem Orange komponierten Palette neben fröhlichen Drucken mit Mohn- und Kornblumen in Rot, Blau und Weiß, die an Coco Chanels Kreationen der späten 1930er-Jahre erinnerten.

Das ländliche Thema spiegelte sich zudem im Motiv der Weizenähre (ein bevorzugtes Glückssymbol von Coco Chanel, das sich auch in ihrer Wohnungseinrichtung fand) und in den Accessoires wider, zu denen unter anderem Lederclogs und Körbchen aus Weide und Jute gehörten.

PARIS DES OSTENS

Die Métiers-d'Art-Kollektion »Paris–Shanghai«, präsentiert auf einem 85 Meter langen Frachtkahn auf dem Huangpu-Fluss, fand vor einer einzigartigen Kulisse statt: einer Ansicht der Wolkenkratzer von Pudong bei Nacht. »Da wir es nicht nachbauen können, haben wir ein Boot mit einem Setting gebaut, das Shanghai darstellt. Eine schwarze Kristallbox mit einem Shanghai-Panorama«, erklärte Karl Lagerfeld.

Die geschäftige Hafenstadt Shanghai war im 19. und frühen 20. Jahrhundert bekannt für ihre mondäne, kosmopolitische Atmosphäre, weshalb sie den Beinamen »Paris des Ostens« erhielt. Sie bot sich daher als Location für eine Kollektion an, die die Expertise von Chanels Pariser Kunsthandwerkern in Szene setzen wollte. Karl Lagerfeld zufolge, der aus diesem Anlass einen Kurzfilm mit dem Titel *Paris–Shanghai, A Fantasy* gedreht hatte, bezog sich die Kollektion sowohl auf »das alte China, erstaunlich klar und modern, als auch auf die Periode der drei Kaiser des 17. und 18. Jahrhunderts«.

Neben der Pracht des Kaiserhofes gab es auch Anspielungen auf Hollywoodfilme der 1930er-Jahre und die »urbane Romantik des chinesischen Kinos« sowie Neuinterpretationen von Chinas Bekleidungsgeschichte, von Cheongsams (schmale Kleider mit asymmetrischem Verschluss und Stehkragen) und roten Lackobjekten bis zu Mao-Anzügen und Kommunistenkappen.

Obwohl Coco Chanel nie in China gewesen war, befand sich viel chinesische Kunst in ihren Häusern, die sie mit ihren geliebten Koromandel-Paravents dekorierte. »Ich liebe die französischen Chinoiserien des 18. Jahrhunderts. Sie verkörpern nur eine Vorstellung von China, da sie von Menschen gemalt wurden, die nie dort waren. Und das ist amüsant, denn sie sind so fantasievoll, lebendig und leicht«, erklärte Lagerfeld.

NEON-BAROCK

»Pastell und Silber – den Geistesblitz, den ich eines Morgens hatte, setzte ich im Dekor und in der Kollektion in die Realität um«, erläuterte Lagerfeld eine Kollektion zarter Kleidungsstücke in Macarons-Tönen, die in dem pastellfarbenen, neonbeleuchteten Pavillon Cambon Capucines in der Rue Cambon 46 präsentiert wurde, wo das Publikum auf silbern bezogenen Sofas Platz nahm. »Zum ersten Mal in meiner Karriere habe ich eine Kollektion ganz ohne Schwarz oder Marineblau gemacht – und es gibt keinen einzigen Goldknopf«, fügte er hinzu.

Spitzen-, Satin-, Tüll- und Chiffonkleider waren mit Perlen, Kristallen oder schimmernden Silberpailletten besetzt, während 1300 gefältelte, geprägte und gerüschte Blumen in Tüll- und weiße oder pfirsichrosafarbene Chiffongirlanden verwandelt und Stück für Stück zu ballonförmigen Ensembles und Capes aneinandergefügt wurden.

Am Ende der Schau betrat die Braut den Laufsteg in einer Wolke aus Chiffon-, Satin- und Tüllrüschen in abgestuften Rosétönen, das Oberteil und die Ärmel waren über und über bestickt mit Ranken und silbernen Spiralen.

ARKTISCHER SCHICK

Gigantische Blöcke aus einem Eisberg schmolzen in einen flachen Pool fjordblauen Wassers ab und bildeten eine monumentale Tiefkühl-Landschaft, durch die Models mit weichen Toupage-Frisuren in zotteligen Snowboots mit Eisblock-Absätzen oder mit transparenten Übersohlen platschten.

Im Anschluss an einen Prolog, in dem männliche und weibliche »Inuits« in Pelzoveralls mit Kapuzen den Laufsteg abschritten, gab die Kollektion dem Thema Pelz einen Ehrenplatz – jedoch ausschließlich künstlichem (oder »Fantasiepelz«, wie ihn Lagerfeld nannte, das klinge eleganter als »künstlich« oder »synthetisch«). »Der war früher einmal scheußlich, hat aber enorme Fortschritte gemacht«, erklärte Lagerfeld. »Heute gibt es keinen Grund mehr, ihn nicht zu verwenden.«

Chanels traditionelle Tweeds waren mit Pelz erstaunlich effektvoll verstrickt und verwebt, Kostümjacken mit funkelnden Kristallzapfen bestickt oder mit »Stalaktiten«-Fransen geschmückt. Das Thema Arktik umfasste auch fantasievolle Accessoires, von Patchwork-Pelztaschen, an denen eine kleine gesteppte Chanel-Tasche an einer Ecke aufgesetzt war, bis hin zu »tiefgekühlten« CC-Unterarmtaschen, die aussahen, als wären sie aus Eis.

COOLE LÄSSIGKEIT

Für diese Cruise-Kollektion reiste Chanel an die ultimative Riviera-Location, nach Saint-Tropez in Südfrankreich. Die Gäste beobachteten von den roten Holzstühlen des berühmten Café Sénéquier aus, wie Karl Lagerfelds Models mit Schnellbooten am legendären Hafen des Ortes anlegten und die zum Laufsteg umfunktionierte Straße entlangdefilierten.

Während Coco Chanel nur einige Male in Saint-Tropez war (»1934 wurde sie hier von Colette gesehen«, hob Lagerfeld hervor), liegt dem Modeschöpfer der Ort sehr am Herzen. »Ich habe viele Jahre meines Lebens hier verbracht«, sagte er. »Ich kenne Saint-Tropez so gut wie Paris.«

Die von Lagerfeld als »sehr lässig, sehr geerdet« beschriebene Kollektion endete mit einem rasanten Finale, als Georgia May Jagger, Mick Jaggers Tochter, zum Sound von »Let's Spend the Night Together« als Sozia auf einer Harley die Straße hinunterbrauste, sie trug ein perlenbesetztes Minikleid und oberschenkelhohe Stiefel.

PERLEN UND LÖWEN

Zu Ehren von Coco Chanels Sternzeichen besetzte bei der Präsentation dieser überaus luxuriösen Haute-Couture-Kollektion ein großer goldener Löwe den Mittelpunkt des Grand Palais. Seine Pranke ruhte auf einer riesigen Perle, von der aus die Models auftraten.

Vogue bemerkte russische Einflüsse in den glanzvollen Ausschmückungen, Pelzbesätzen und Seidenbrokaten und schrieb, die üppig bestickten und paillettenbesetzten Kleider würden »alle Details eines Fabergé-Eies« tragen. Ein mit schier einer Million Pailletten handbesticktes Kleid wurde mit passenden Ankle-Boots von Massaro kombiniert. Von Karl Lagerfeld entworfene Blumenmuster, zu denen er sich von deutschem Porzellan aus dem 18. Jahrhundert anregen ließ, und von königlichen Traditionen inspirierte Paillettenstickereien tauchten auf kurzärmeligen kurzen Jacken auf.

Lagerfeld bestand vor allem darauf, »keine langen Kleider« zu zeigen. »Es wurde Zeit, ein wenig aufzuräumen – ich bin die Roten-Teppich-Kleider mit ihren endlosen Schleppen leid. Dies hier sind Kleider, in denen man leben und sich bewegen kann, wie in den 1920er- und 1930er-Jahren.« Dennoch sei das neue Charlestongirl im Vergleich zu Coco Chanels Zeit viel körperbewusster: »Die Kleider der 1920er-Jahre hatten keine Taille. Diese Form jedoch ist sehr feminin, und die Taille wirkt durch die voluminösen Ärmel noch schmaler«, fuhr Lagerfeld fort.

LETZTES JAHR IN MARIENBAD

Chanel entwarf einen monumentalen Barockgarten mit weißem Kies und minimalistisch wirkenden schwarzen »Steinhecken«, der zusammen mit dem 80-köpfigen Lamoureux-Orchester unter der Leitung von Thomas Roussel und zahlreichen Fontänen den Grand Palais ausfüllte.

Die Atmosphäre erinnerte nicht zufällig an einen Kinofilm, nannte Lagerfeld doch die Schauspielerin Delphine Seyrig in *Letztes Jahr in Marienbad* als seine wichtigste Impulsgeberin für diese Kollektion. In einer der bekanntesten Szenen dieses traumartigen Schwarz-Weiß-Streifens von Alain Resnais aus dem Jahr 1961 kommt ein ähnlicher geometrisch angelegter Park vor, und Coco Chanel selbst hatte die Kostüme der Hauptdarstellerin Delphine Seyrig entworfen. »Der Film spielt in einem fiktiven Kurhotel«, erklärte Lagerfeld. »Gedreht wurde er in der Amalienburg [im Nymphenburger Schlosspark] in München, Vorbild [für die ganze Anlage] war jedoch Paris, es war Versailles – es ist absolut französisch!«

Die ersten Outfits zeigten kunstvoll mit Löchern versehenen Dévoré-Tweed und riefen Erinnerungen an den Punk-Stil hervor. »Die Stoffe sind aus neuartigen Materialien: lasergeschnittener Tweed, der nur von den Borten zusammengehalten wird, sonst würde er auseinanderfallen«, kommentierte Karl Lagerfeld. »Er wird über Hemdkleidern oder weißen Shirts getragen.«

Die Kollektion blieb der Schwarz-Weiß-Palette des Films treu und präsentierte den verschwenderischen Einsatz von schwarzem oder zart gemustertem Voile, feinstem Tüllnetzwerk und Federn aus dem Hause Lemarié: »Es muss nach Chanel aussehen, aber auf keinen Fall nach ewiger Wiederholung«, erklärte Karl Lagerfeld.

BYZANTINISCHE PRACHT

Als Hommage an die alte Hauptstadt des byzantinischen Reiches kombinierte die Paris–Byzanz-Kollektion Couture-Tradition mit osmanischem Zauber. Die türkische Metropole Istanbul, das einstige Byzanz, wurde im Jahr 330 in Konstantinopel umbenannt. Es hatte im 6. Jahrhundert den Höhepunkt seiner Macht erreicht, was sich auch in seiner prächtigen, hoch entwickelten Kultur widerspiegelte, die bis zum Untergang Konstantinopels im Jahr 1453 Bestand hatte und sich vor allem in ihren wunderbaren, mit Mosaiken verzierten Basiliken offenbarte.

Vorbild für die Hagia Sofia in Istanbul, eines der wenigen heute noch existierenden Beispiele dieser Kunst, ist die im 6. Jahrhundert unter Kaiser Justinian und seiner Frau Theodora erbaute Kirche San Vitale in Ravenna. Das reich mit funkelnden Glasmosaiken geschmückte Bauwerk zählt zum Weltkulturerbe und inspirierte Karl Lagerfeld zu dieser Kollektion. »Ich bin nach Ravenna gefahren und habe gerade ein Fotobuch über das, was man dort sehen kann, veröffentlicht, *Byzantine Fragments* – die Mosaiken sind einfach großartig!«

In den Salons des Modehauses in der Rue Cambon wurden die Gäste auf niedrigen Samtsofas mit handbemalten Kissen platziert, die Wände wurden eigens für diesen Anlass mit schimmernden bronzefarbenen Pailletten verkleidet, um eine Reihe luxuriöser, vielschichtiger Ensembles zu präsentieren, die Erinnerungen an Schmuckentwürfe von Coco Chanel im byzantinischen Stil wachriefen.

»Alle Knöpfe sind quadratisch, wie byzantinische Mosaiksteine, und nichts glänzt auffällig. Alles hat vielmehr diesen charakteristischen Schimmer, der der Tatsache zu verdanken ist, dass die Mosaiken in Ravenna aus Lapislazuli und Glassteinchen mit darunterliegendem Blattgold bestehen – es ist unglaublich«, erklärte Karl Lagerfeld. »Das ist eine geschätzte Annäherung an eine Idee, die wir nie wahrnehmen konnten«, fuhr er fort. »Der Luxus von Byzanz ist heute verschwunden, zerstört durch die Zeit.«

»ZARTER ROCK-GLAMOUR«

Inspiriert vom Rosa und Grau des Frühwerks der Künstlerin Marie Laurencin, präsentierte Lagerfeld eine von ihm als »zurückhaltend« und als »zarter Rock[-Glamour]« beschriebene Kollektion.

»Marie Laurencin hatte mich inspiriert, aber mir gefallen nur ihre frühen Arbeiten von 1908 bis zu den 1930er-Jahren – meine Lieblingsperiode ist die Zeit, in der sie eng mit Nicole Groult befreundet war, der Schwester von Paul Poiret«, sagte Lagerfeld. »Ich mag die Farben aus dieser Zeit in ihren Bildern, diese Grauschattierungen und kleinen schwarzen Akzente.«

Eine Woge Rosa mit weichen Grau- und Elfenbeintönen, durchzogen von einem Hauch Silber, entfaltete sich in einer Reihe von Musselin-, Tüll- und Organza-Tops mit weich gerundeten Schultern, die mit Pailletten, Kristallen, Blumen und Perlen bestickt waren. Kombiniert mit schmalen Hosen aus besticktem oder paillettenbesetztem Musselin und Slingballerinas aus Lackleder, die durch transparente Bänder an den Fesseln gehalten wurden, ergab sich eine nonchalante Anmutung von »Rock-Chic«.

Die Schau endete mit einer Zusammenstellung von Abendkleidern in Empirelinie mit subtil funkelnden Stickereien – Amanda Harlech beschrieb sie als »Frühtau auf Spinnennetzen« –, die wieder einmal die meisterhafte Handwerkskunst der Chanel-Ateliers bewiesen.

APOKALYPTISCHE ANDROGYNIE

Vor der gemalten Kulisse eines geheimnisvollen Waldes in poetisch anmutenden Herbstdunst gehüllt, tauchten die Models in dieser Schau in einer Nebelwolke aus Licht aus zwei weißen Würfeln mit CC-Monogramm auf und schritten dann einen hölzernen Steg ab. »Nach den Barockgärten der vergangenen Saison wollte ich die Atmosphäre eines nebligen Gartens erzeugen«, erklärte Karl Lagerfeld (siehe Seite 484–487).

Androgynie war das Hauptthema der Kollektion. Die legendäre Chanel-Jacke wurde in einer verkleinerten Version als zusätzliche Lage über einem Smoking oder einer Seemannsjacke getragen. Maskuline Hosen wurden an den Knöcheln umgekrempelt und mit schweren Stiefeletten und locker sitzenden, gamaschenartigen Socken getragen oder mit spitzen, mit Crêpe de Chine bezogenen Pumps mit elegantem Absatz kontrastiert.

Zu den Klängen des Gothic-Rock-Klassikers »A Forest« von The Cure eröffnete sich eine postapokalyptische Landschaft, in der die Models über rauchende schwarze Lava gingen. »Ein verbrannter nordischer Wald«, kommentierte Lagerfeld. »Inspiriert hat mich der Winter – ich erinnerte mich an jene Winter, die ich als Kind in Nordeuropa verbrachte. Die Wälder dort sahen monatelang so aus. Ich fand das immer sehr poetisch.«

Darüber hinaus zeigten sich Einflüsse, die zurückzuführen waren auf den zeitgenössischen Künstler »Anselm Kiefer, den Romantiker Caspar David Friedrich, auf Fritz Langs Film *Die Nibelungen*, in dem eine Winterszene vorkommt, in der [der Held] durch einen solchen Wald reitet, sowie auf japanische Architektur und Vulkanlandschaften – aber als ich die Idee hatte, war es eigentlich nicht meine Absicht, die Details zu analysieren. Ich hatte eine derartige Vision in einem Traum, sie kam komplett aus meinem Unterbewusstsein«, erklärte Lagerfeld.

HOLLYWOOD-GLAMOUR AN DER RIVIERA

»Ist es nicht einer der schönsten Orte der Welt?«, fragte Karl Lagerfeld auf der Terrasse mit Blick über das Mittelmeer im Hôtel du Cap-Eden-Roc am Cap d'Antibes bei Cannes. Das bei den Schönen und Reichen seit den 1920er-Jahren beliebte Hotel ist heute eines der exklusivsten weltweit und Schauplatz dieser Cruise-Kollektion.

Nach Saint-Tropez (siehe Seite 474–477) sollte hier eine andere Variante des Riviera-Schicks im Vordergrund stehen: Der Stil dieser »anderen Seite des Paradieses« zwischen Cannes und Monaco steht im Kontrast zur Bohemien-Stimmung von Saint-Tropez. Laut Lagerfeld zeichnet er sich durch eine »gewisse schneiderische Strenge und einen 1950er-Jahre-Glamour aus, dessen Glanz natürlicher und zurückhaltender ist, meilenweit entfernt von den zeitgenössischen Moden, die sich auf dem roten Teppich verlaufen«. Der Modeschöpfer nennt die Schauspielerin Rita Hayworth und ihren Ehemann Prinz Ali Khan, einstige Stammgäste des Hôtel du Cap, als Quell der Inspiration für diese Kollektion, die eine Hommage an den alten Hollywood-Glamour darstellte.

Chanels berühmten Perlen- und Diamantenkreationen gebührte mit verschwenderisch plastisch hervortretenden Schmucksteinen und diamantenen »Kometen«, gestickt auf marineblaue seidene Abendkleider, ein Ehrenplatz – Coco Chanel liebte es, wertvolle Stücke mit Modeschmuck zu kombinieren. Eine Reihe strassbesetzter Badeanzüge mit hohen Beinausschnitten beschwor die Stimmung des Avantgardefilms *Biceps et Bijoux* mit Marie-Laure und Charles de Noailles über die Kunst der Gymnastik herauf, der ebenfalls in Südfrankreich entstand.

»CHANELS ALLÜREN«

Der Titel der Haute-Couture-Kollektion »Les Allures de Chanel« bezog sich auf Paul Morands der Gründerin des Hauses gewidmetes Buch *L'allure de Chanel* (dt. *Die Kunst, Chanel zu sein*). Die Schau wurde abends auf einer im Grand Palais errichteten Nachbildung der berühmten Place Vendôme präsentiert – dem Platz in Paris, der für Luxus steht. Die Fassaden waren in weißem Neonlicht nachgezeichnet, und eine silberne Coco-Chanel-Statue ersetzte Napoleon auf der Säule im Zentrum des Platzes.

»Chanel und die Place Vendôme gehören zusammen«, so Lagerfeld. »Coco Chanel wohnte von den 1930er-Jahren bis zu ihrem Tod 1971 im Ritz, und heute befindet sich in der Hausnummer 18 ein Chanel-Schmuckgeschäft. – Ich mag die Architektur«, fuhr er fort. »Aber diese hier ist eher von GPS-Geräten inspiriert – ein Neon-GPS der Place Vendôme.«

Lange, verspielte Kleider, die an Coco Chanels Kreationen der 1930er-Jahre erinnerten, wie das schimmernde weiße Satin-Brautkleid mit einer drei Meter langen Schleppe, wurden mit feder-, tüll- oder bandgeschmückten Kreissägen vom Hutmacher Maison Michel kombiniert (Coco Chanel liebte die Kreissäge, die sie der Garderobe der Ruderer und Radfahrer vom Anfang des 20. Jahrhunderts entlehnt hatte und die sie sich bald zu eigen machte): Die Kollektion illustrierte die vielen Facetten der »Allüren« von Chanel. »Die Linie ist eher androgyn, wie die Silhouette eines Jungen. Mir gefällt die Idee der zwei Pole von Frauen sehr gut. Und Chanel kam ihr ziemlich nahe. Sie machte romantische Kleider, aber gleichzeitig hatte sie auch diesen Look kreiert, der auf [traditioneller] österreichischer Männerbekleidung [siehe Seite 592] sowie Tweed-Herrenschneiderei basierte«, bemerkte Lagerfeld.

UNTERWASSERWELT

Die Kollektion war dem Meer gewidmet und entfaltete sich in einer traumhaften Unterwasserwelt mit Livemusik: Florence Welch von Florence and the Machine, eine Lieblingssängerin Lagerfelds, lieferte einen Song-Beitrag zur Schau.

»Ich glaube, es gibt nichts Moderneres als die Milliarden Jahre alten Formen am Meeresgrund«, erklärte Lagerfeld. »Außerdem ist das auch eine unberührte, unerforschte Welt, die in 7000 Metern Tiefe auf der ganzen Welt gleich ist. Sehen Sie sich die Formen im Meer an, die Fische, die Vögel: Sie sind sehr modern«, fuhr er fort, »fast wie von Zaha Hadid entworfen.«

Die fast vollständig weiße Kollektion, die mit Volumen spielte und außer Perlen nur wenige traditionelle Chanel-Stilelemente aufwies (keine Borten, keine Logos, keine typischen Knöpfe), präsentierte einige textile Neuerungen. »Alles dreht sich um die Stoffe«, sagte Lagerfeld. »Es gibt fast kein klassisches Material – meist sind es Mischungen aus Papier, Zellophan, Silikon und Glasfaser, und sie wiegen praktisch nichts.«

EIN TRAUM VON INDIEN

»Indien ist für mich wie eine Idee«, sagte Lagerfeld, der das Land nie besucht hat. »Ich weiß nichts über seine Realität, weshalb ich eine poetische Vorstellung von etwas habe, das in der Realität vielleicht viel weniger poetisch ist … Dies ist eine Pariser Version von einem Indien, das nicht existiert – mehr Chanel als Indien. Und Coco Chanel liebte indischen Schmuck.«

Auf einem Laufsteg, der mit üppig gedeckten Tischen, Blumen und Kerzen in einen Bankettsaal verwandelt wurde, präsentierten die Models kostbaren, mit Steinen besetzten Kopfschmuck, Handtaschen, Handschuhe und Stiefel mit Henna-Motivdruck, Perlenschnüre, handgemalte moghulische Blumenmotive, Silberbrokate, Gold- und Silberlamé, Duchesse sowie luxuriöse Interpretationen der traditionellen Salwar (Hosen), Kameez (Tuniken), Dupatta (Schals), Saris, Haremsröcke und -hosen und, selbstverständlich, den klassischen Nehru-Kragen.

154 BLAUSCHATTIERUNGEN

»Blau ist die Farbe der Luft, des Tages und der Nacht. Ich habe es bisher noch nie in diesem Umfang verwendet«, sagte Lagerfeld.

Präsentiert in einem lebensgroßen Chanel-Flugzeug samt Teppich mit CC-Logo, das in den Hallen des Grand Palais aufgebaut war, zeigte die Kollektion nicht weniger als 154 verschiedene Blautöne, vom zartesten Tauben- bis zum tiefsten Mitternachtsblau. »Diese ungemein große Farbskala reicht von Purpur-Anklängen bis zu Andeutungen von Grün«, sagte Lagerfeld.

Alle diese Schattierungen schimmerten in einem äußerst aufwendigen Stickteil mit eingearbeiteten Pailletten, Kristallen, Cabochons, Federn und Strass, kombiniert mit meisterhaft handgefertigten Glasmosaikknöpfen von Maison Desrues.

»Blau ist die kleidsamste von allen Farben«, schloss Lagerfeld, »und mich langweilt der rote Teppich – warum nicht einmal ein blauer Teppich?«

KRISTALLE

»Die Natur ist eine großartige Designerin«, sagte Lagerfeld und deutete auf den »Wald« aus riesigen rohen Amethysten, transparenten Bergkristallen und Quarz. »Diese Formen sind Millionen Jahre alt.« Die ausschlaggebende Inspiration für diese Kollektion bestand aus einem »Mix aus Mineralien, Kristallen, Bergkristallen und tschechischem Kubismus, aber alles wurde für die moderne Frau neu und tragbar interpretiert«.

»Chanels neuer Look besteht für mich nicht aus dem klassischen Kostüm, sondern aus dem Dreiteiler: ein kleines Kleid, eine Jacke aus demselben Material und eine Hose aus demselben Material, und damit kann man spielen«, fuhr Lagerfeld fort. »Es gibt kein einziges Kostüm mit Borten – aber sie kommen vielleicht irgendwann wieder!«

Stickereien, ob auf schmuckbesetzten Ärmeln oder in Form von Augenbrauen-Dekorationen von Maison Lesage, spielten neben Federn die Hauptrolle. »Alle verwenden Pelz«, argumentierte Lagerfeld. »Also warum nicht einmal Federn? Federn nehmen diese Bronze-, Grau- und Amethyst-Töne besser an als jedes andere Material – alle diese Töne wirken bei Federn sehr schön, wenn sie nicht schon von Natur aus vorhanden sind. Sie sind nicht schwer, tragen nicht auf und sehen sehr kleidsam aus.«

»COCO-ROCK«

Lagerfeld wählte das Boskett der Drei Fontänen im Schlosspark von Versailles, den André Le Nôtre für König Ludwig XIV. entworfen hatte, als Schauplatz für die Präsentation einer Kollektion, die er »Coco-Rock« nannte – »eine französische Variante des Rock-'n'-Roll, die die Frivolität des 18. Jahrhunderts mit neuen Materialien und Proportionen aufgreift. Das ist ein Spiel mit kulturellen Elementen in einer anderen Welt.«

Elemente des 18. Jahrhunderts wie Pastelltöne, Reifröcke, Schultertücher, Schönheitspflästerchen und Kniehosen tauchten in unüblichen Stoffen – von Denim bis Plastik – wieder auf und erhielten in Kombination mit Bob-Perücken (im Nacken kurzgeschnitten und über langen, mit Bändern gehaltenen Pferdeschwänzen getragen) und goldenen Plateau-Sportschuhen ein jugendliches, mädchenhaftes Aussehen.

»Ich wollte etwas Fließendes, Frivoles«, erklärte Lagerfeld. »Frivolität ist durchaus eine gesunde Haltung – ich kenne Leute, die sich durch Frivolität gerade noch einmal retten konnten.«

»NEW VINTAGE«

Unter dem Titel »New Vintage« wurden Chanel-Klassiker für die Kollektion neu interpretiert, um das außergewöhnliche handwerkliche Können der hauseigenen Ateliers hervorzuheben. »›New Vintage‹ ist ein Vorschlag für etwas, das von Dauer sein könnte – das hoffe ich zumindest«, sagte Lagerfeld zur Nachrichtenagentur AFP. »Es ist dieselbe Grundhaltung, derselbe Geist, derselbe Name, dasselbe Konzept [wie bei Chanel] – aber etwas für die heutige Zeit.«

»Haute Couture muss etwas sein, das sonst niemand kann«, so Lagerfeld weiter. »Die Tweeds sind zum Beispiel überhaupt keine Tweeds, sie bestehen nur aus Stickerei – einige Stücke erforderten 3000 Stunden [Arbeit].« Den hauchzarten Kompositionen des Federschmuckherstellers *(Plumassier)* Lemarié gebührte ebenfalls ein Ehrenplatz: Den Höhepunkt bildete ein Brautkleid mit Federrock und hohem Federkragen.

Zusammengehalten wurde die Kollektion von einer subtilen Palette aus Grau- und gebrochenen Weißtönen, Schwarz und Hellrosa in allen Schattierungen – inspiriert von der Malerin Marie Laurencin (siehe auch Seite 494–497). Auch die silbern funkelnden Strumpfhosen, in denen sich die mit Silberfäden durchwirkten »Tweeds« der Kollektion spiegelten, zogen sich durch die gesamte Schau.

SAUBERE ENERGIE

Riesige Windräder und ein Laufsteg aus Sonnenkollektoren im Grand Palais stimmten auf das Thema der Kollektion ein, die erneuerbaren Energien. »Es ging um Wind, Luft und Leichtigkeit«, erklärte Lagerfeld. »Sehr rein – sauber, leicht, frisch. Alles drehte sich um Volumen, allerdings um luftiges Volumen.«

»Die Proportionen sind neu, die Materialien sind neu«, fuhr er fort. »Ich wollte eine Kollektion, in der man Chanel sofort wiedererkennt, aber keine Borten, keine Schleifen, keine Ketten, keine Kamelien, keine Klassiker. Ein Element habe ich beibehalten: die Perlen – aber ich habe sie überdimensioniert und übertrieben.«

Auch eine kreisrunde Chanel-Tasche in Übergröße wurde vorgestellt – »für den Strand«, erläuterte Lagerfeld. »Man braucht viel Platz für das Strandtuch. Und dann kann man die Tasche in den Sand stellen und Sachen daran aufhängen! Aber das war das einzige Objekt mit einem Chanel-Logo. Sonst gab es nur Mikro-Logos auf ein paar Perlen, und das auch nur vereinzelt.« – »Mir gefiel die Idee, fast nichts von dem zu verwenden, wofür Chanel bekannt ist, und es trotzdem nach Chanel aussehen zu lassen«, fügte er hinzu. »Damit habe ich mich selbst herausgefordert.«

SCHOTTISCHE ROMANZE

Die Kollektion erinnerte an die langjährigen Verbindungen zwischen Chanel und Schottland und wurde im Linlithgow Palace bei Edinburgh präsentiert, dem alten Wohnsitz der Stuart-Familie und Geburtsort von Maria Stuart.

Coco Chanel verbrachte dort in den 1920er-Jahren einige Male die Ferien zusammen mit dem Duke of Westminster (dessen Herrenhaus Rosehall in den Highlands in Sutherland sie im Übrigen neu gestaltete). Chanel machte den schottischen Tweed zu ihrem Markenzeichen – eine Tradition, die das Modehaus bis heute mit Leidenschaft fortsetzt: Erst kürzlich rettete es den traditionsreichen schottischen Kaschmirproduzenten Barrie und reihte das Unternehmen in das Netzwerk seiner Top-Ateliers ein.

Für Lagerfeld war eine imaginäre Begegnung zwischen »Maria Stuart, die einst auch Königin von Frankreich und Modekönigin einer anderen Zeit war, und Coco Chanel, einer Art Königin der französischen Mode« die Inspiration zu dieser Kollektion – »ein romantischer Look mit einem Hauch Grausamkeit«.

EIN VERWUNSCHENER WALD

Die von *Vogue* als »schaurige Interpretation von *Ein Mittsommernachtstraum*« bezeichnete Kollektion entfaltete sich in einem eigens für den Grand Palais angefertigten »Zauberwald mit antikem Holztheater«, wie Lagerfeld es beschrieb. Der Couturier nannte außerdem als Inspirationsquelle das kulturelle Erbe des so waldreichen Weimar, ein Zentrum der Romantik Ende des 18. Jahrhunderts – »Es gibt nichts Eleganteres als eine gewisse Art von Melancholie«, sinnierte er.

»Ich liebe Stickereien, vor allem, wenn sie aussehen wie gedruckt – das ist der Gipfel der Raffinesse, denn niemand glaubt, dass das ein Kleid ist, bei dem allein die Herstellung der Blumen 2000 Stunden gedauert hat«, sagte Lagerfeld. Die mit Blumenmustern der 1930er-Jahre aus den Textilarchiven des Londoner Victoria and Albert Museums und mit Stickereien übersäte Kollektion stellte auch eine neue Silhouette vor: die »Bügelschultern«, wie Lagerfeld sie nannte, »weil sie den Hals und die Schultern betonen, aber auch der Silhouette Volumen verleihen«.

Die Schau endete nicht mit einer, sondern zwei eleganten Bräuten in identischen weißen Kleidern – auf diese Weise signalisierte der Couturier seine Unterstützung des Gesetzes zum Eherecht für gleichgeschlechtliche Paare in Frankreich.

PLANET CHANEL

Mit einem riesigen, die Mitte des Grand Palais einnehmenden Globus (samt CC-Flaggen, die die Standorte der Chanel-Geschäfte auf den verschiedenen Kontinenten anzeigten) und dem Song »Around the World« von Daft Punk, der erklang, während die Models die Erde umkreisten, feierte die Kollektion den weltweiten Erfolg des Modehauses Chanel.

»Ich hatte diese Idee aus zwei Gründen«, erläuterte Lagerfeld. »Erstens hat Coco Chanel vor genau 100 Jahren ihren ersten Laden in Deauville eröffnet, und heute gibt es 300 Chanel-Geschäfte auf der ganzen Welt. Aber etwas anderes war auch interessant: Vom Nahen Osten bis China leben Menschen, die französische Mode lieben und Chanel verehren, weil wir ein Produkt herstellen, das die Menschen immer noch begehren ... Es ist eine Hommage an die Welt und die weltweit vertretene Marke Chanel.«

Bei der Silhouette ging es »vor allem um Bewegung«, Grau war die dominante Farbe. Eine Ausnahme machten die farbigen Akzente auf den helmartigen Hüten, laut Lagerfeld Pelzversionen von Anna Wintours Kult-Bob. »Alles ist silbern – ich habe fast alles Vergoldete und Goldene durch Silber, Stahl und Grau ersetzt, weil das Hauptthema der Kollektion [das Spektrum] von Schwarz bis Grau ist – Schattenfarben, und sehr geheimnisvoll«, sagte Karl Lagerfeld.

CHANEL IN ASIEN

Coco Chanel selbst war nie in Singapur, doch Lagerfeld beschloss, dass es an der Zeit sei, die alljährliche Cruise-Modenschau nach Asien (die vorhergehenden fanden in Europa und den USA statt) zu verlegen, und kehrte aus diesem Anlass zu den klassischen Chanel-Elementen zurück.

»Für die Kollektion, die wir in Edinburgh präsentiert haben [siehe Seite 532–537], hatte ich so viele Farben gewählt, dass mir auf einmal wieder eine sehr begrenzte Chanel-Palette mit Beige, Weiß, gebrochenem Weiß, Elfenbein und Marineblau gefiel. Das war genug – weitere Farben waren überflüssig«, sagte Lagerfeld. »Durch die neuen Proportionen für den offenen Rock ergeben sich zahlreiche Silhouetten – denn normalerweise sehen hohe Absätze zu langen Röcken nicht gut aus, zu solchen schon.«

Während einige Elemente von der traditionellen Kultur Singapurs inspiriert waren, wie vom schwarz-weißen Gewebe der Vorhänge, die die Wohnhäuser der Insel schmücken und in der Kollektion das grafische Schema beeinflussten, waren andere entschieden innovativ. Für den Schmuck kombinierte Lagerfeld beispielsweise »fast militärische Ketten in schwerem Metall mit falschen Diamanten, denn Coco Chanel war bekannt dafür, Echtes und Künstliches zu kombinieren, wenn es um Schmuck ging. Also sieht es aus wie Place-Vendôme-Schmuck, kombiniert mit schweren militärischen Ketten.«

»ZWISCHEN GESTERN UND HEUTE«

»Zwischen gestern und heute … ein Übergang von der alten zur neuen Welt.« So beschrieb Karl Lagerfeld die Kollektion, für die sich der Grand Palais in ein altes, verfallenes Theater verwandelte, dessen Bühne den Blick auf eine Metropole der Zukunft freigab.

Die von kinetischer Kunst inspirierte Kollektion weckte auch Erinnerungen an Kultfilme wie Fritz Langs *Metropolis* (der zu Lagerfelds Lieblingsfilmen gehört) oder *Blade Runner* mit Rachael, der Replikantin, während Frisuren und Hüte auf Grace Jones' berühmte Tolle anspielten.

Das außerordentliche Können von Chanels Haute-Couture-Ateliers, von Lesage bis zum Plisseemacher Lognon, kam in aufwendigen Stickereien und plastischen Stoffeffekten zur Geltung, die fast jedes Outfit prägten. »Postmoderne grafische Raffinessen«, meinte Lagerfeld. »Chanel, jedoch für ein neues Jahrhundert.«

CHANEL-»KUNSTAUSSTELLUNG«

Für diese erste Chanel-»Kunstausstellung« wurde der Grand Palais in eine riesige Gemälde- und Skulpturengalerie mit weißen Wänden verwandelt. Die Exponate reichten von imposanten marmornen Chanel-Parfumflakons bis zu Installationen aus Handtaschenketten – und waren alle von Karl Lagerfeld selbst entworfen worden.

Zum Sound von »Picasso Baby« von Jay-Z schickte Lagerfeld kleine Kunstwerke auf den Laufsteg: uneindeutige, de- und rekonstruierte Tweedsachen, aus Tüllstreifen gewebt; Muster, die inspiriert waren von der Farbenlehre des 20. Jahrhunderts und von Pantone-Farbkarten; weit geschnittene Lederhosen in hellem Rosa und Grau mit um die Taille geschlungenen Kaschmirteilen. All das wurde begleitet von einem markanten, »pointillistisch«-bunten Make-up und von Frisuren, die Lagerfeld als »Ponys mit Flügeln« bezeichnete.

Das Thema Kunst setzte sich auch bei den Accessoires fort: farbig besprühte Chanel-Rucksäcke und Künstlermappen, kombiniert mit Stapeln von bunten Armreifen, überdimensionalen Perlenketten und Ringen.

Das Chanelkostüm wurde in zahlreichen mehrfarbigen Versionen neu aufgelegt, darunter die »Jacken ohne Vorderseite, die einfach nur hübsch über die Schultern gelegt werden, perfekt und leicht für den Sommer«, wie Lagerfeld bemerkte.

Viele saisonale Haupttrends wurden ebenfalls kurz aufgegriffen, von schimmerndem Metall bis zu dicker Baumwollspitze, asymmetrischen Ausschnitten und transparenten Schichtungen, oft kombiniert mit Lagerfelds eigenem Markenzeichen, den fingerlosen Handschuhen.

WILDWEST

Für diese Métiers-d'Art-Kollektion begab sich Karl Lagerfeld auf die Spuren von Coco Chanel und ging nach Dallas. Hier hatte diese 1957 den Neiman Marcus Award for Distinguished Service in the Field of Fashion (den »Mode-Oskar«) aus den Händen des Mitbegründers der Nobelkaufhauskette Neiman Marcus, Stanley Marcus, entgegengenommen. »Ich bewundere und liebe Amerika. Hier bin ich erfolgreich geworden. Für viele Amerikaner ... verkörpere ich Frankreich«, sagte sie in Paul Morands Buch *Die Kunst, Chanel zu sein*. Tatsächlich förderten die Presse und die Kundinnen in den USA ihre Karriere.

2013 durfte Karl Lagerfeld in Dallas den Preis entgegennehmen. Wenige Tage zuvor hatte er dort im Fair Park eine spezielle »Paris–Dallas«-Kollektion präsentiert. Er ließ sich dafür vom Texas der Zeit vor dem Bürgerkrieg und von der amerikanischen Kultur am Anfang des 19. Jahrhunderts anregen und beschwor Wildwest-Fantasien und -Romantik herauf: Tweed, Leder, Denim und Musselin wurden mit Indianersymbolen und Sternen (einem bei Chanel beliebten Motiv und hier Anspielung auf das Sternenbanner) geschmückt. Maison Michel hatte hierzu Stetson-Hüte entworfen, die von den Originalen der Bürgerkriegszeit inspiriert waren. »Ich musste unbedingt solche Hüte bekommen, wie man sie damals hatte«, sagte Lagerfeld. »Cowboyhüte, wie sie jeder kennt, wollte ich nicht.«

»Ich wollte eine Spannbreite von Millicent Rogers in Taos bis zu der texanischen Salonlöwin und Philanthropin Lynn Wyatt. Es war eine Vorstellung von Texas, aber nicht die allgemein bekannte. Ich habe versucht, Cheerleader und den Look von Hollywoodfilmen mit John Wayne zu vermeiden – nicht, dass ich etwas gegen sie hätte, aber dies hier ist viel romantischer ... wie die Western aus der Stummfilmzeit, als sie noch viel poetischer waren«, fügte Lagerfeld hinzu. »Ich wollte einen Hauch von Poesie.«

CAMBON CLUB

Der Cambon Club, »ein Nachtclub aus einer anderen Galaxie«, gab die Kulisse für eine sehr jugendliche und sportliche Haute-Couture-Kollektion ab, bei der die Models mit Ellbogen- und Knieschützern in Couture-Sportschuhen die große Treppe hinunterliefen und -hüpften, während Sébastien Tellier und sein ganz in Weiß gekleidetes Mini-Orchester spielten.

»Kein Schmuck, keine Handtaschen, keine Handschuhe, keine Ohrringe – nichts. Hier ging es nur um Attitüden und Silhouetten, Formen und Schnitte, und um die Geschichte der Mode um 1800 bis etwa 1845, als Frauen grundsätzlich flache Schuhe trugen, sogar zu Ballkleidern«, erläuterte Lagerfeld. Jeder Look, ja selbst die Abendgarderobe, wurde daher mit passenden, von Schuhdesigner Massaro kreierten Sneakers kombiniert. Sie spielten mit durchscheinenden Materialien wie Chiffon, Spitze und Tüll oder anderen luftigen Stoffen, die gelegentlich mit Pailletten besetzt oder mit Federn und metallisch glänzenden Details geschmückt waren.

»Ich fand, es war an der Zeit, wieder Taille zu zeigen«, sagte Lagerfeld. »Es gibt eine Flexibilität zwischen Rock, Oberteil und Taille, das heißt, man kann sich bewegen. Ein einzelnes, steifes Teil wäre sehr démodé – wie in der Belle Époque. Couture bekommt dadurch einen neuen, modernen Ausdruck«, schloss er.

CHANEL-SUPERMARKT

»Ich glaube, etwas Humor kann nie schaden«, sagte Lagerfeld bei der Präsentation von Chanels bislang größtem Setting: einem Chanel-Supermarkt im Grand Palais mit gefüllten Regalen, Kassen, Einkaufswagen, Sonderangeboten und Verkaufsplakaten (mit Werbung »Jetzt + 50 %«). Über 500 unterschiedliche Produkte waren für die Schau neu verpackt und witzig etikettiert worden: Lait de Coco (Kokosmilch), Flaschen mit Eau-de-Chanel-Mineralwasser, Gummihandschuhe mit applizierten Kamelien, Coco-Choco-Crispies, Coco-Cookies, Taschentuchboxen mit der Aufschrift »Les Chagrins de Gabrielle« (»Gabrielles Sorgen«, nach dem Vornamen von »Coco« Chanel), eine Eisenwaren-Abteilung, in der eine Kettensäge mit echten Chanel-Ketten angeboten wurde, »Paris–London«-Gin, »Paris–Dallas«-Ketchup und vieles mehr.

Als Inspirationsquellen nannte Lagerfeld die Konsumkultur-Bildwelt der Pop-Art, Andreas Gurskys Foto-Diptychon »99 Cent« und Andy Warhol. Er bezog sich aber auch auf die Kunstgalerie der Prêt-à-porter-Kollektion vom Vorjahr (siehe Seite 556–561): »Das war ein Kunst-Supermarkt, denn Kunst ist zum Produkt geworden, nicht wahr?«, sagte er zu Hamish Bowles. »Ich mag es, wenn Mode ein Teil des Alltags ist und nicht etwas, das von ihm abgekoppelt existiert – bei Chanel geht es immer darum.«

Manche Elemente waren Weiterentwicklungen von Lagerfelds vorheriger Chanel-Kollektion (siehe Seite 566–569). »Im nächsten Schritt entsteht aus Couture die Prêt-à-porter-Version – aus Sneakers werden Stiefel«, erklärte Lagerfeld. Das junge, sportliche Feeling blieb dieser Kollektion trotzdem erhalten, in der es vor allem um eine »körperbewusste Silhouette« ging, die aber gleichzeitig »sehr bequem zu tragen war«. Die Taille blieb betont, wurde aber einer unerwarteten Wendung unterzogen: Jacken mit breitem, aus mehreren Teilen bestehendem Miederbund definierten wie moderne Korsetts die Taillenlinie, die zudem mit Reißverschlüssen betont wurde. »Die Taille ist hier sehr bequem, im Gegensatz zur Couture – hier gibt es lauter Reißverschlüsse, die man zum Anziehen öffnen kann.«

Alles war farbig, wobei die gedeckten Töne weicher Tweedstoffe ein Gegengewicht zu wahren Orgien von Spinatgrün, Karottenorange, Rote-Bete-Rosa und Zitronengelb bildeten. Ironische Anspielungen auf das Supermarkt-Thema tauchten auch bei der Kleidung und den Accessoires auf, von kleinen, mit CC-Ketten geschmückten Einkaufswagen bis hin zu eingeschweißten 2.55-Handtaschen mit »100 % Lamm«-Etiketten und Knöpfen in Form von Blechdosen-Deckeln. »Bei Chanel können wir mit allem spielen und machen, was wir wollen – niemand schreibt uns vor, was wir zu tun haben«, erläuterte Lagerfeld.

lait
de
COCO
COCO
RICO

ORIENTALISCHES REVIVAL

»Das ist Chanel für das 21. Jahrhundert, eine Mischung aus alter und neuer Welt, in einem modernen Teil der Welt«, sagte Karl Lagerfeld über die Cruise-Kollektion. Sie wurde in einem sandfarbenen, eigens für diesen Anlass erbauten Auditorium auf The Island, einer privaten künstlichen Insel vor Dubai, präsentiert. »Ein orientalisches Revival passt gut in diese Zeit, schließlich wird der Orient für die Geschichte des 21. Jahrhunderts immer wichtiger«, fügte er hinzu.

Lagerfeld, der sich von Märchen, Filmen, den Gemälden von Delacroix und Paul Poirets Modeentwürfen von 1914 inspirieren ließ, hatte sich für den Entwurf von Drucken für seine Kollektion auch mit der Fliesenkunst des 11. und 12. Jahrhunderts im arabischen Spanien beschäftigt: »Unglaublich, wie modern diese Blumenmuster noch tausend Jahre später wirken.«

Die Kollektion wurde dominiert von Schmuck, darunter waren von der Berberkultur inspirierte Perlenketten und Mondsichel-Diademe. »Mondförmige Schmuckstücke waren in den 1850er- und 1860er-Jahren modern«, sagte Lagerfeld zu Sarah Mower. »Und natürlich ist der Halbmond wie ein C – ein halbes Chanel-Zeichen!«

»Das ist meine Vorstellung von einem romantischen, modernen Orient!«, fügte er hinzu. »Ich übernahm, was ich an der orientalischen Mode für attraktiv und zeitlos hielt, und entwarf daraus einen modernen Look. Die Kollektion ist für diesen Teil der Welt entstanden, aber ich finde und hoffe, dass sie von Frauen auf der ganzen Welt getragen werden kann.«

BETON-BAROCK

Diese in vielerlei Hinsicht architektonische Haute-Couture-Kollektion wurde auf einem einfachen weißen Laufsteg präsentiert, der an beiden Enden von Schiebetüren begrenzt war. Hinter ihnen befand sich ein jeweils identisches Dekor: ein Rokoko-Kamin unter einem vergoldeten Chanel-Spiegel, der sich von einer einfachen grauen Wand abhob. Als Anregung diente Lagerfeld eine Idee von Le Corbusier: Dieser hatte in den 1930er-Jahren für den exzentrischen Kunstsammler Carlos de Beistegui ein Penthouse mit einer »Wohnzimmer«-Dachterrasse entworfen. Möbliert war sie mit einem Kamin, über dem ein kreisrunder Spiegel an einer Betonwand hing. »Ich mag diese Kombination aus Barock und Moderne«, meinte Lagerfeld. »Das ist das Thema der Kollektion: Beton mit Barockelementen – Le Corbusier in Versailles.«

Tatsächlich tauchte auch Beton in der Kollektion auf: Zu Minifliesen reduziert, fand er in Stickereien, Schmuck, Knöpfen, Borten und Geweben Verwendung – eine Innovation von Chanel, die über mehrere Jahre entwickelt wurde. »Ich benutze gern Materialien, die man in der Haute Couture normalerweise nicht sieht«, sagte Lagerfeld, der als weitere Herausforderung an die Konvention für den Abschluss der Kollektion eine hochschwangere Braut eingeladen hatte.

Die Kollektion umfasste auch Kleider und A-Linien-Röcke (kombiniert mit Luxus-Flip-Flops mit schmuckbesetzten Riemchen und Taftbändern), die aus Neopren geformt waren: »Haute couture sans couture« (»Haute Couture ohne Nähte«), scherzte Lagerfeld. »Ich wollte, dass die Models wie Vögel aussehen, mit langen Hälsen und ohne herabhängende Haare, denn solche hätten nicht zum makellosen Schnitt und zur Silhouette der Kleider gepasst«, verriet er. »Ich mag diesen federartigen Eindruck.«

BOULEVARD CHANEL

»Nach dem Supermarkt [siehe Seite 570–575] mussten wir zurück auf die Straße«, sagte Karl Lagerfeld anlässlich der Präsentation des monumentalen Bühnenbildes der aktuellen Saison im Grand Palais: »Boulevard Chanel«, eine echte Pariser Straße inklusive Trottoir, Baugerüsten und 25 Meter hohen Gebäuden im Haussmann'schen Stil.

Chanels »Modedemonstration« auf dem Boulevard zeigte einen selbstbewussten, komfortablen Look, bei der vor allem Individualität und Farbe im Vordergrund standen: Friseur Sam McKnight und Visagist Tom Pecheux hatten für jedes Model einen einzigartigen Look entworfen, und die farbenprächtigen Prints stammten von Aquarellen, die Karl Lagerfeld selbst gemalt hatte.

Passend zum Einsatz für die Gleichberechtigung der Geschlechter (auf einem Plakat stand: »Women's rights are more than alright«) kombinierte die Kollektion maskuline und feminine Elemente: Dreiteiler, lange maskuline Mäntel, weit geschnittene Hosen mit Aufschlägen, Wickelröcke und strenge Bermudashorts wurden kombiniert mit transparenten Blusen mit Bertha-Kragen und goldenen Derby-Schuhen, die »von vorn wie ein Herren-, von hinten wie ein Damenschuh aussehen, mit einem einzelnen Fesselriemchen«. In der Schau wurde auch die neue »Girl«-Tasche vorgestellt, die alle Elemente der Chanel-Jacke (Tweed, Borten und Knöpfe) enthält und über der Schulter oder um die Taille gebunden getragen werden kann – »wie eine Jacke«, bemerkte Lagerfeld.

Als Hommage an den Geist vom Mai 1968 gab es in der Kollektion sogar vom Modeschöpfer als »Pflaster-Stickerei« bezeichnete Kleider mit aufgestickter, schimmernder Pflasterstruktur. Zum Abschluss der Präsentation schwangen die Models gesteppte Chanel-Megaphone zum Sound von Chaka Khans »I'm Every Woman«.

CHANEL

HISTORY IS
HER
STORY
VOTEZ
BE
different
CHANEL
CHANEL

OMEN'S
RI
RE MORE T
FREE
FREEDOM
MAKE
ASHION
OT
R
LA
LIBE
n'oblige
La FEMM
à être
Libertin
MAKE
FASHION
NOT WAR

OSER SANS POSER
TWEED WE NEED
CHANEL
FASHION

VON SISI ZU CC

Schloss Leopoldskron, einer der bemerkenswertesten Bauten des österreichischen Rokoko (vor allem durch den Musicalfilm *The Sound of Music* und als Gründungsort der Salzburger Festspiele durch Max Reinhardt bekannt), war Schauplatz der Präsentation dieser von Kaiserin Elisabeth von Österreich, genannt Sisi, inspirierten Kollektion. Weitere Impulse kamen von traditionellen Bestandteilen der Tracht wie Lederhose und Dirndl, die von den Chanel-Ateliers einer modernen, luxuriösen Lesart unterzogen wurden.

Ein Highlight der Kollektion waren Federn vom Spezialisten Lemarié: »Bei den meisten Stücken sieht man, dass die Stickerei wenig Steine, dafür aber viele Federn enthält«, sagte Lagerfeld. »Es ist wie fliegender Pelz – eine unglaubliche handwerkliche Leistung.«

In »Paris–Salzburg« ging es jedoch »um *die* Jacke«, fuhr er fort. »Man darf ja nicht vergessen, dass Chanel zu dieser Jacke von einem österreichischen Liftboy inspiriert wurde, der ein ähnliches Modell trug. Sie fügte Tweed und Borten hinzu, was das Aussehen des Kleidungsstücks völlig veränderte, und machte *die* Jacke für Damen daraus.«

Das Anfang der 1950er-Jahre entworfene legendäre Chanelkostüm wurde von einigen der elegantesten Frauen der Welt getragen. Coco Chanels Freundin und Kundin, die österreichische Schauspielerin Romy Schneider, trug es sowohl privat als auch auf der Leinwand, wie in Luchino Viscontis Episode des Kultfilms *Boccaccio '70*, »Il Lavoro«.

COUTURE IN VOLLER BLÜTE

Die vom Modehaus als »erhabene Neuerfindung des Frühlingsrituals« beschriebene Kollektion wurde in einem wunderschönen runden Gewächshaus mit einem blühenden tropischen Garten aus Papierblumen präsentiert – mechanische Pflanzen, die sich öffneten und nacheinander, »begossen« von männlichen Models als Gärtner, zu Origamiblumen erblühten. »Hier unter uns befinden sich 300 Maschinen, damit jede einzelne Blume funktioniert«, erläuterte Lagerfeld. »Wie in einem Pop-up-Geschichtenbuch.«

Lagerfelds »Flower-Power-Frauen des 21. Jahrhunderts« trugen – bewusst abgegrenzt von Chanels Hauptpalette aus Schwarz, Weiß, Beige und Pastelltönen – kräftige Farben und präsentierten eine neue Silhouette: kurze Oberteile, die die Taillen der Models frei ließen (»Die Taille ist das neue Dekolleté«, verkündete Lagerfeld), flache, strumpfartige schwarze Lederstiefel und überdimensionierte, breitkrempige Hüte mit Stroh und Tüllschleiern. Passend zum blumigen Thema blühten auch auf Röcken, Jacken, Ärmeln und fingerlosen Chiffonhandschuhen Bouquets aus Organza, Leder, Tüll, Cellophan und Perlen, und auf eleganten Strick-Beanies zeigten sich zarte Blumenapplikationen.

Das in den Lemarié-Ateliers kreierte Brautkleid, für das ein Dutzend Mitarbeiter einen Monat lang über 3000 Komponenten zusammengetragen hatten, bestand aus Chiffon, Organza, weißen schillernden Kunststoffkringeln, Strass und Perlen. Sein vollständig mit Pailletten besetztes kurzärmeliges Oberteil war ausgestellt und ging über in eine lange Schleppe, die einem Blumenbeet glich, und ein breitkrempiger Hut mit Tüllwolke ersetzte den traditionellen weißen Schleier.

DIE FRANZÖSISCHE KOLLEKTION

Als »durch und durch französisch« bezeichnete Karl Lagerfeld diese Kollektion, die in der »Brasserie Gabrielle« präsentiert wurde: einem voll funktionsfähigen, eigens hierfür erbauten Café in der Tradition legendärer Pariser Lieblingsorte wie Maxim's und La Coupole, in denen Gabrielle alias Coco Chanel sich Jahrzehnte zuvor mit der schillernden »Café-Gesellschaft«, zu der sie gehörte, getroffen und gefeiert hatte.

Lagerfeld, der die Garderobe der schicken Pariser Bourgeoise neu interpretierte, wartete mit »allen möglichen Angeboten und Proportionen auf: für den Tag, für den Abend ... Die einzige Konstante ist der Schuh: eine moderne Variante des ältesten Chanel-Schuhs, den ich bisher noch nie verwendet habe.«

Die von allen Models in einer aktualisierten Version getragenen Schuhe (mit quadratischem Absatz und neuen Proportionen) waren die 1957 von Mademoiselle Chanel entworfenen beige-schwarzen Slingpumps, die Lagerfeld zu den »modernsten aller Schuhe« erhob. Der Entwurf zielte auf einen optischen Effekt ab: Das Beige verlängert das Bein optisch, während das Schwarz den Fuß kürzer erscheinen lässt.

Neben aufwendigen Tweed- und Stricksachen im reinen Chanel-Stil enthielt die Kollektion auch verschiedene witzige Anspielungen auf das Café-Thema, wie etwa lange, mit Ripsbändern gebundene Schürzen über langen Hosen oder Röcken im Stil eines »Neo-Dreiteilers« (eine Hommage an die traditionellen langen Schürzen, die in Frankreich gelegentlich noch von Kellnern getragen werden) und bunte Stickereien, die an Miniaturfliesen erinnerten.

Menu

K-POP-ART

Nach Dubai (siehe Seite 576–579) steuerte Chanel für die Präsentation der neuen Cruise-Kollektion das von Zaha Hadid und dem Architekturbüro Samoo entworfene Dongdaemun Design Plaza, das größte neofuturistische Gebäude der Welt, im südkoreanischen Seoul an.

Der Einfluss traditioneller koreanischer Trachten zeigte sich dezent und auf unterschiedlichste Weise, von luxuriösen Stickereien auf Abendkleidern in Anspielung auf die Perlmutt- und Goldintarsien antiker koreanischer Hochzeitstruhen bis zum Patchwork-Thema, einer Hommage an die einzigartigen koreanischen Bojagi-Stoffe – und natürlich dem Hanbok, Koreas traditioneller Tracht, dessen hohe Taille, weite Ärmel und runde Schultern sich in verschiedenen Stücken der Kollektion wiederfanden.

Lagerfeld konzentrierte sich aber nicht ausschließlich auf das traditionelle Korea. Die bunten Farben, der verniedlichende Stil und der energiegeladene K-Pop waren sowohl in der Kollektion präsent als auch im Bühnenbild, das Lagerfeld beschrieb als »moderne Version einer Pop-Art-Szene, wie sie meiner Ansicht nach von Koreanern interpretiert werden könnte«.

Große Schmuckstücke (darunter die handgestickte »neue Kamelie«) waren allgegenwärtig, und die Models trugen Pumps mit Absatz und abgeflachten Spitzen oder Spangenschuhe aus Lackleder mit integrierten Socken: »Eine von Koreas alten Traditionen inspirierte Kollektion, aber auf neue Weise geschaffen«, sagte Lagerfeld.

COUTURE-CASINO

Die luxuriöse, vom Glamour exklusiver Casinos aus der Zeit Coco Chanels inspirierte Kollektion wurde in einer Art-Deco-Szenerie präsentiert. An Roulette- und Blackjack-Tischen saßen elegante Croupiers, während eine Handvoll Ehrengäste, wie die Schauspielerinnen Julianne Moore und Kristen Stewart, gekleidet in Chanel und mit Platin- und Diamantschmuck ausgestattet, der auf Coco Chanels »Bijoux-de-Diamants«-Kollektion von 1932 zurückging, ihre Wetten abgaben.

Karl Lagerfeld kombinierte in seinen Kreationen innovative Technologien mit traditionellem Haute-Couture-Handwerk: So wurde für das legendäre, hier in einer kastigen Version mit eckigen Schultern neu definierte Chanelkostüm die Technologie des selektiven Lasersinterns genutzt. Die Jacke ist weder gewebt noch gestrickt, sondern wurde mittels 3-D-Druck produziert, in einem Stück, mit einer weichen Textur. Das wie eine gefütterte Steppjacke geformte »Gerüst« wurde anschließend von den emsigen Händen der Chanel-Ateliers mit Paillettenstickereien und Borten verziert. Wie Lagerfeld erklärte, stand dahinter die Absicht, »die kultigste Jacke des 20. Jahrhunderts zu nehmen und daraus eine 21.-Jahrhundert-Version zu machen, wie sie technisch in der Zeit, in der sie entworfen wurde, noch ganz unvorstellbar war. [Sie] ist aus einem Teil geformt, es gibt keine Nähte.«

Auch das traditionelle Brautkleid wurde einer zeitgenössischen Neuinterpretation unterzogen: Model Kendall Jenner übernahm die Rolle einer Smoking-Braut in einem breitschultrigen weißen Satin-Anzug mit langem, besticktem Tüllschleier, der, von den Schultern fallend, in eine unkonventionelle Schleppe überging.

CHANEL AIRLINES

Nachdem Chanel bereits in Los Angeles Jets gechartert (siehe Seite 400–401) und ein echtes Flugzeug zum Haute-Couture-Laufsteg umfunktioniert hatte (siehe Seite 514–515), lud es die Gäste für diese Schau in den Pariser Flughafen Cambon ein, und zwar zum Terminal 2C, Gate Nr. 5 – alles originalgetreu im Grand Palais nachgebaut. Nicht einmal die Check-in-Schalter fehlten. Die Infotafel zeigte anstelle von Ankunfts- und Abflugzeiten die Schauplätze früherer Cruise- und Métiers-d'Art-Schauen an.

»Fliegen gehört zu unserem Leben, und ich möchte es perfekter machen, als es ist«, erklärte Karl Lagerfeld. »Hier zeige ich, wie es sein sollte. Chanel Airlines ist ein Privatjet für jedermann.«

Der Modeschöpfer ließ sich auf das Spiel mit Flugzeugmotiven, Pfeilsymbolen und Abflugtafel-Buchstaben ein (siehe Seite 619 links). Als stilechte Accessoires zu den Outfits fungierten hier der neu lancierte »Coco Case«-Rollkoffer, Pilotenbrillen mit Steppmotiv und ein blaues, in Form einer Schlafmaske aufgetragenes Augen-Make-up.

Die Chanelkostüme, mit denen diese Schau eröffnet wurde, waren nicht das, was sie zu sein schienen: Die Tweedoptik wurde nicht wie üblich durch die Webfäden erzeugt, sondern durch Handstickerei (siehe rechts), und die ikonischen Bortenbesätze bestanden nicht aus Garn: Von der traditionellen Flechtborte hatte man Fotos gemacht und diese dann auf Silikonstreifen laminiert, um sie als Bordüren zu verwenden (gegenüber).

Rot, Weiß und Blau, die Farben von Air France, dominierten die Serie von langen, großzügig mit glitzerndem Silber verzierten, zu Hosen getragenen Kleidern. »Ich habe viel glänzendes Silber verwendet, weil das an Flugzeuge erinnert, die Sonnenstrahlen reflektieren«, erklärte Lagerfeld.

Obgleich an ihnen die Goldknöpfe fehlten, waren die »mit Kristallen übersäten, mit großen schwarzen Schleifen geschmückten glitzernden Fischgrätjacken und glänzenden Tops«, die im Finale dieser Schau gezeigt wurden (siehe Seite 619 oben rechts und unten rechts), »durch und durch und zeitlos Chanel«, befand *Vogue*.

AEROPORT PARIS CAMBON
DEPARTURES
CHANEL AIRLINES
CHANEL AIRLINES
14
CHANEL AIRLINES

AEROPORT PARIS CAMBON
CHANEL AIRLINES
DEPARTURES
FLIGHT
TO
GATE
TIME
278
MOSCOW
LAST CALL
10
11:43
339
BOARDING
02
11:50
182
660
227
FLIGHT
TO
915
SINGAPORE
ON TIME
705
DUBAI
ON TIME
808
DALLAS
ON TIME

CAMBON
CHANEL

»PARIS IN ROM«

Diese Métiers-d'Art-Kollektion wurde im Studio Nr. 5 der römischen Filmstadt Cinecittà vorgestellt, in dem Federico Fellini sein Meisterwerk *La dolce vita* (Das süße Leben, 1960) drehte. Die Kollektion war, ohne ihren typisch pariserischen Charakter zu verleugnen, eine Hommage an die Blütezeit des italienischen Films.

»Das hier ist Paris *in* Rom«, betonte Karl Lagerfeld. »Dies ist ein französisches Modehaus, und die Kollektion wurde in Frankreich hergestellt, und zwar von den erfahrensten, begabtesten und besten Handwerkern der Welt.«

Es gab Anklänge an die Femmes fatales des Nouvelle-Vague-Films der 1960er (von denen einige, darunter Jeanne Moreau und Delphine Seyrig, sowohl für die Leinwand als auch für das reale Leben von Gabrielle Chanel eingekleidet worden waren), mit Hochsteckfrisuren, klassischen Kostümen und Film-Noir-Akzenten.

Das Schuhwerk war neu: »Hinten offene Mules [...] sind typische Chanel-Schuhe, aber wir haben sie noch nie verwendet. Mit Spitzenstrümpfen werden sie zu etwas, das in der Vorstellung der Leute sehr pariserisch wirkt«, erklärte Lagerfeld.

Lingerie-Details und Spitzenbesätze unterstrichen die verführerische Note dieser Kollektion. »Es ist eine Pariser Kunst, Erotik nur subtil anzudeuten, anstatt den Betrachter mit der Nase darauf zu stoßen«, schrieb Sarah Mower in *Vogue*. »Doch wenn man genauer hinsah, bemerkte man das Verruchte, wie die Metallringe vorn an Gürteln, und Halsbänder hier und da.«

Zu den witzigen Anspielungen an den Rom-Bezug der Kollektion zählten perlenbestickte Lederschleifen in Form von Farfalle-Nudeln, eigens von der Maison Lesage kreiert (siehe Seite 622 rechts) sowie handbemalte Federn mit Marmoroptik (siehe Seite 623 unten).

Zu den monochromen Kulissen, die »ein perfektes, sehr romantisches, leicht schmutziges Paris wie auf einem Foto von Atget« hervorriefen, gehörte auch ein eigenes »Cinema«. Hier fand die Premiere von Lagerfelds neuem Kurzfilm *Once and forever* statt. Dieser Film, in dem Kristen Stewart und Geraldine Chaplin mitspielten, dokumentierte den Dreh einer (fiktiven) Biografie von Gabrielle Chanel und war somit ein Film in einem Film in einer Filmkulisse in einer Filmkulisse.

METRO
Rome
CHANEL

CINEMA LE PARIS
CINÉMA LE PARIS PROCHAINEMENT
CHANEL PRÉSENTE
Once and Forever
UN FILM DE Karl Lagerfeld
AVEC Kristen Stewart ET Géraldine Chaplin

ÖKOLOGISCHE HAUTE COUTURE

»Sehr, sehr Zen«, sagte Lagerfeld über das fragile Holzhaus, das im Grand Palais die Kulisse für eine der Natur gewidmeten Kollektion bildete.

»Wir befinden uns mitten im Nirgendwo, in einem Traumhaus, das in die Realität umgesetzt sein sollte«, fügte der Designer hinzu. »Mir gefiel die Idee, Ökologie weiterzudenken und eine Kollektion zu entwerfen, die eine sehr modische, sehr elegante und sehr luxuriöse Version von Natur darstellt. Mit schönen Stickereien aus Holz, Stroh und ähnlichen Dingen.«

Neben Holz und Blumen waren Bienen ein weiteres Schlüsselmotiv der Kollektion: In Tüll eingestickt oder als Modeschmuck getragen, symbolisierten sie die Erneuerung der Natur. Die Farbpalette wurde mit erdigen Beigetönen bewusst schlicht gehalten und durch Marineblau, Schwarz, Weiß oder Gold akzentuiert. »Gabrielle Chanel war die Königin des Beige«, erklärte Karl Lagerfeld, »und ich habe noch nie eine so beige Kollektion wie diese vorgestellt. Ich finde, dass die Sachen in dieser [Farbe] gut aussehen, weil die Linie sehr klar ist.«

»Der Ausgangspunkt für diese Kollektion war die Silhouette«, führte Lagerfeld aus. Eiförmige Ärmel wurden durch den Kontrast mit langen geschlitzten Bleistiftröcken hervorgehoben. Dazu trugen die Models Kork-Plateauschuhe und Gürteltaschen im Handyformat. »Das ist unsere neue Tasche, sie sieht genauso aus wie die Taschen, in denen die Hausherrinnen des 15. Jahrhunderts ihre Schlüssel verwahrten«, bemerkte Karl Lagerfeld.

»Von den kunstvollen Hochsteckfrisuren bis hin zu den gerundeten Kleiderformen wirkte die Kollektion zugleich klassisch und frisch und wie hingezaubert«, berichtete Suzy Menkes in *Vogue*. »[Karl Lagerfeld] fing einen wunderschönen Modemoment ein.« Abgerundet wurde dieser von einem spektakulären Finale: Alle Schiebetüren des Holzhauses gingen auf – und sämtliche Models sowie der Designer höchstpersönlich konnten gleichzeitig bewundert werden.

PINK UND PERLEN

»Jeder träumt davon, in der ersten Reihe zu sitzen, und deshalb dürfen in dieser Saison alle nach vorn! In der Modedemokratie braucht sich niemand mehr zu beklagen«, verkündete Karl Lagerfeld. »Ich möchte, dass jeder die Kleider sehen kann, und auch die Arbeit, die wir in sie investieren.« Um dies möglich zu machen, wurde im Grand Palais eine riesige Kulisse aufgebaut. Sie war an die Räumlichkeiten in der Rue Cambon Nr. 31 angelehnt und sehr detailverliebt. Auch die Spiegelwände und die Reihen vergoldeter Stühle durften nicht fehlen.

Aus nächster Nähe konnten die Gäste bestickte Tweeds, lässige Strickmode und eine »Chesterfield« getaufte Weiterentwicklung des gesteppten Leders à la Chanel bewundern (siehe Seite 632 oben links), Schnüreinsätze an Reitstiefeln und Abendkleidern sowie Röcke und Abendkleider, bei denen seitliche Reißverschlüsse das Anziehen erleichterten. »In dieser Schau geht es um das tägliche Leben«, kommentierte Lagerfeld.

Vervollständigt wurden die Ensembles durch Reithüte aus Tweed, Leder oder Filz mit Kinnbändern, die mit byzantinischen Kreuzen, Perlen oder Kamelien geschmückt waren. »Ich wollte mich mit Hüten beschäftigen, weil das niemand mehr tut«, erklärte der Designer. »Sie sind wie Helme, man kann sie auch beim Motorrad- oder Radfahren tragen. Sie sind aus Leder und deshalb ziemlich stabil.«

Lebhafte Pinktöne leuchteten immer wieder in der Kollektion auf. Einen Ton beschrieb Lagerfeld als »Himbeersorbet, nicht Boudoirrosa«.

Die »wichtigste Lektion«, die *Vogue* bei dieser Schau gelernt zu haben meinte, war »die Rückkehr der Chanel-Perlenkette, die mehrreihig getragen wurde: Je mehr, desto besser«, und zwar über »so ziemlich allem, angefangen von Tweed bis hin zum kleinen Schwarzen, oder als Kinnband am Hut. So cool, so sehr Coco«, befand Suzy Menkes.

»COCO KUBA«

Chanel stellte seine erste Cruise-Schau in Kuba vor, auf Havannas berühmter, marmorgepflasterter Flaniermeile Paseo del Prado, und das genau an dem Tag, an dem nach knapp 40 Jahren zum ersten Mal wieder ein amerikanisches Kreuzfahrtschiff in Havanna anlegte.

»Kuba ist unvergleichlich«, schwärmte Karl Lagerfeld. »Die Farben, die Autos [...] Sie haben etwas, das einen sehr berührt. Kuba hat einen speziellen Charakter, den ich liebe, und ich wollte es schon immer besuchen.«

Kubas einzigartige Musikkultur wurde gebührend gewürdigt, und zwar durch einen in die Schau integrierten Auftritt des Duos Ibeyi, bestehend aus den frankokubanischen Zwillingsschwestern Lisa-Kaindé und Naomi Díaz (die Töchter des Buena-Vista-Social-Club-Perkussionisten Angá Díaz), und einem mitreißenden, von den Rumberos de Cuba gestalteten Finale.

Lagerfeld, seit Langem ein *Aficionado* lateinamerikanischer Kultur, beschrieb diese Kollektion als »Hommage an das schicke, moderne Kuba [...] Es sind lässige Stücke.« Angefangen von T-Shirts mit dem Aufdruck »Viva Coco Libre« über handgeflochtene Panamahüte, Stoffdrucke mit Oldtimer-Automobilen, perlenverzierte Pantoletten und Clutches in Form kubanischer Zigarrenschachteln (siehe gegenüberliegende Seite unten links), zeigte der Modeschöpfer »Kleidungsstücke, die den Cruise-Lifestyle aufs Schönste darstellten«, schrieb Tim Blanks.

Die Kollektion »bediente sich spielerisch an Kubanismen«, berichtete *Women's Wear Daily*. »Die geradlinigen Längsbiesen der charakteristischen, *Guayaberas* genannten Herrenhemden wurden in die Chanel-Jacken integriert; Bademodefarben und Werbeslogans wurden auf noppigen Tweed und Souvenir-T-Shirts gesprenkelt, und paillettenbesetzte Kleider erstrahlten in den pastelligen Bonbonfarben kubanischer Oldtimer aus den Fünfzigern.«

»Es war alles dabei!«, freute sich die kubanische Schauspielerin Ana de Armas. »Die ausladenden Ärmel der Rumbakostüme, die von den Kubanern gern getragenen Flipflops, die Leggins, in denen die jungen Mädchen herumlaufen, und der kubanische Klassiker, das Che-Guevara-Barett, das anstatt mit einem Stern mit dem Chanel-Logo geschmückt war.«

»Das hier war ein in eine Mode-Traumlandschaft importiertes Kuba«, so Suzy Menkes in *Vogue*.

CHANEL
PARIS
HABANA

COCO
CLUB

»GRAFISCHE SCHNITTE«

»Ohne herausragende Ateliers kann man keine herausragende Kollektion herstellen«, erklärte Karl Lagerfeld und widmete diese Schau den Haute-Couture-Ateliers in der Rue Cambon. Er hatte die Modewerkstatt im Grand Palais nachbauen lassen und überall im Publikum Näherinnen platziert. »Sie sehen nie die Schauen, und dabei sollten doch gerade sie gewürdigt werden«, fügte der Modeschöpfer hinzu. »Ich finde es zeitgemäß, sie teilnehmen zu lassen, damit das Publikum sie beachtet, denn sie sind unglaublich geschickt.«

Für die »Grafische Schnitte« betitelte Schau wurden die Proportionen des traditionellen Chanelkostüms neu erfunden, indem dieses eckigere, architekturale Linien erhielt. Der Fokus lag dabei auf den Schultern, die, wie die *New York Times* erklärte, »ins Zweidimensionale verlängert und abgeflacht waren, ohne innere Struktur«. Der Designer betonte, dass dieser Effekt ohne Polsterung erzielt wurde. »Das ist das, was die Franzosen als *bisauté* [Facettierung] bezeichnen: Die Ecken ergeben sich durch Faltung, die Wirkung wird nur durch den Schnitt erzielt [...] Sie sind perfekt ausgeführt.«

Bei den Modellen für den Abend war die Linienführung weicher, »inspiriert von den Heldinnen, die der englische Illustrator Aubrey Beardsley im späten 19. Jahrhundert schuf«, konstatierte Chanel. Die langen Kleider aus bestickter Spitze, Taft, Musselin, Organza, Seidentüll, Radzimir oder Georgette, häufig aus mehreren Stofflagen, waren reich verziert, an den Säumen mit Federn oder Perlen besetzt und kunstvoll zu zarten Silhouetten gefältelt. Sie alle zeugten von der Virtuosität von Chanels Näherinnen, den *petites mains*.

»Lagerfeld wollte uns zeigen, welches fachliche Können und Wissen erforderlich ist, um jene Modelle zu schaffen, für die er von der Welt gepriesen wird. Es war eine großzügige Geste«, bemerkte Tim Blanks. »Keine andere Demonstration, oder besser gesagt, kein anderer Erweis des heutigen Werts der Haute Couture hätte klarer oder eindrucksvoller sein können«, stellte Sarah Mower in *Vogue* anerkennend fest.

»INTIME TECHNOLOGIE«

Nach seiner Verbeugung vor den Näherinnen, den *petites mains* (siehe Seite 638), die Chanels Mode erst möglich machen, hatte sich Karl Lagerfeld bei dieser Kollektion am Immateriellen orientiert – und stellte sie entsprechend in einem in den Grand Palais hineingebauten bunten »Chanel-Rechenzentrum« vor.

Das ikonische Chanelkostüm wurde neu interpretiert, für »Roboter aus einer unbekannten Zukunft«, wie schon die ersten präsentierten Modelle ahnen ließen (rechts). »Das bedeutet, dass Chanel zeitlos ist und, wie die Franzosen sagen, *immortel,* [also unsterblich]«, erklärte Karl Lagerfeld.

»Rechenzentren gehören zu unserer Zeit [...] Mir gefiel diese Idee, und ich übertrug sie, doch soll es keine kalte, seelenlose Technologie sein, sondern intime Technologie«, präzisierte der Designer. Als »Rüstungen für die Außenwelt« imaginierte Oberbekleidung wurde mit weichen, hautfarbenen Unterkleidern kombiniert. »Diese Art von Lingerie hat etwas Poetisches an sich«, schwärmte Karl Lagerfeld. »Es ist unsere Aufgabe, der Maschine eine Seele einzuhauchen.«

Greifbare Pointen dieses Elektronikthemas waren »Data-Accessoires«, darunter Taschen mit LED-Anzeige, die Nachrichten übermittelten, Clutches in Roboterform, Sonnenbrillen wie aus den *Matrix*-Filmen mit Buchstabenkaskaden, die den Namen des Modehauses annoncierten, und Unmengen von verspieltem Schmuck, wie Ohrringe, Broschen, Armbänder und Anhänger, für die Chanels berühmtes byzantinisches Kreuz zum X von Spielkonsolen umgestaltet wurde.

Auch die Stoffe wurden passend zum Kollektionsthema neu erfunden. Es gab farbenfrohe »Pixel-Tweeds« (»Baumwoll- und Denimfäden erinnern an elektronische Kabelbündel. Über Digitalverfahren wurde eine neue Tweedstruktur geschaffen, und Knöpfe wurden durch Klettbandaufnäher ersetzt, die die Schnittkonstruktion zeigen«, erklärte das Modehaus Chanel). Elektrisch leuchtende Farben erinnerten an grelles Neonlicht und hell strahlende Bildschirme. »Es war wie das bonbonbunte Leuchten einer Million miteinander verwobener Platinen«, fasste Tim Blanks es zusammen.

TANZPARTY IM RITZ

Nachdem Chanel Paris nach Rom geholt hatte (siehe Seite 620), brachte es die Métiers-d'Art-Schau wieder in die französische Hauptstadt zurück, und zwar in einen der ehemaligen Wohnsitze von Gabrielle Chanel: das legendäre Hotel Ritz, in dem Karl Lagerfeld in den späten 1990er-Jahren drei Haute-Couture-Kollektionen gezeigt hatte (siehe Seite 218, 226 und 234).

»Hierbei geht es um ein Hotel im Herzen von Paris, in dem Frauen aus aller Welt abstiegen, die selbst dann, wenn sie keine Französinnen waren, als *Parisiennes* angesehen wurden«, erläuterte Karl Lagerfeld. »Aus diesem Grund wurde die Kollektion ›Paris Cosmopolite‹ genannt«.

Der Modeschöpfer schwärmte von der Blütezeit der »Kaffeehausgesellschaft« der 1920er- und 1930er-Jahre: »Damals gab es Tanzdiners: Die Leute tanzten nicht nur auf Bällen, sondern gingen ins Restaurant, wo nach dem Essen getanzt wurde – ich finde das sehr schick.«

Unter den Models waren auch Chanel-Botschafterinnen und Freunde, von Lily-Rose Depp und Pharrell Williams bis hin zu Georgia May Jagger und Cara Delevingne. Die Kollektion war in drei Teile gegliedert (Mittagessen, Tee und Diner) und mit Frack tragenden Tänzern garniert, die sich durch die goldenen Salons bewegten.

Die cremefarbenen, mit Goldborten besetzten Kostüme, die die Schau eröffneten, »erinnerten an französische Wandverkleidungen und Vergoldungen, wie sie im Ritz und insbesondere in Coco Chanels Suite zu sehen waren«, während »gemusterte Strickwaren eine Anspielung an die opulenten Tapeten und auffälligen Teppichmuster zu sein schienen, auf die man überall im Hotel stößt«, fand *Women's Wear Daily*.

»Für mich entspricht das einer bestimmten Vorstellung von Paris: Gabrielle Chanel, das Ritz, die Hemingway Bar«, sagte Karl Lagerfeld. »Genau das Paris, das sich jeder zurückwünscht.«

PLEASE
DO
NOT
DISTURB

SILBERNE SPIEGEL

In Anklang an den berühmten, von Gabrielle Chanel für die Rue Cambon Nr. 31 entworfenen, von Spiegeln flankierten Treppenaufgang wurde unter der Kuppel des Grand Palais ein riesiger, mit Spiegeln verkleideter Zylinder errichtet. Der Fußboden des Saals war mit quadratischen Rauchglasspiegeln bedeckt, eine Anspielung an die für Chanel typischen Steppstrukturen.

»Ich wollte, dass alles silbrig ist, ich wollte Spiegel, Metall, Aluminium«, sagte Karl Lagerfeld. »Ich fand, das sei der perfekte Rahmen für diese Kollektion. Ich wollte etwas Makelloses, Reines [und ich wollte, dass] die Mädchen wie zum Leben erweckte Modezeichnungen aussehen. Die gesamte Stickerei ist abstrakt, es gibt keine Blumen, kein Chichi.«

Der minimalistische Ansatz des Modeschöpfers wurde allerdings durch seine Leidenschaft für Federn abgemildert sowie durch eine rundere, drapierte Interpretation des Chanelkostüms. Die von Alberto Giacomettis Skulptur *Löffelfrau* (1926) inspirierten Modelle fielen durch die hohe, von einem breiten Gürtel betonte Taille sowie weich gerundete Hüftlinien auf. »Der Faltenwurf muss perfekt sein«, fügte Lagerfeld hinzu. »Ich wollte etwas absolut Makelloses.«

»Die luftige Form schien dem vertrauten Tweedkostüm neues Leben einzuhauchen und ergab eine starke, ausgesprochen moderne Kollektion«, stellte *The Guardian* anerkennend fest.

Die Kleider für den Abend waren großzügig mit Spiegelstickereien verziert, die durch üppige Federbesätze an Säumen und Ärmeln betont wurden. »Trotz der glamourösen Materialien büßte das Konzept nie seinen Chic ein«, berichtete *Women's Wear Daily*. »Die Kleider waren wie ein zeitgenössischer, man könnte sogar sagen: visionärer Vorschlag, dem Glitzer auch in einem ernsthaften, erwachsenen Kontext einen gebührenden Platz einzuräumen.«

CHANELS RAUMFAHRT

»Es ist eine Reise über das Firmament, ins Zentrum der Sternbilder«, beschrieb Karl Lagerfeld die Kollektion, die auf der »Startrampe Nr. 5« gezeigt wurde und für die auch eine 35 Meter hohe Weltraumrakete in den Grand Palais hineingebaut wurde.

»Die Menschen [...] schauen nur noch auf den Bildschirm, sie sehen die Welt nicht mehr. Und ich weiß gar nicht, ob sie den Weltraum überhaupt noch sehen«, klagte der Designer. »Das Intergalaktische [...] Der Himmel ist eine Inspirationsquelle [...] Dies ist eine Fantasievorstellung, die in der Atmosphäre über der Erde spielt. Gleichzeitig ist es in seiner Art sehr geerdet.«

Die Stoffe waren dem Raumfahrtthema angepasst. Es gab mit schimmernden Perlenreihen bestickte »Sternentweeds« (siehe Seite 657 oben rechts), über die Lagerfeld sagte: »Es ist sehr überkommen, zu denken, Glitzer wäre nur etwas für Nachtclubs.« Daneben gab es bläschenfolienartige Vinylteile, die an die Oberfläche unentdeckter Planeten erinnern sollten (siehe Seite 656 unten rechts) sowie Nuancen von »Mondlichtsilber« und Astronautendrucke.

Manche Ensembles hatten hohe runde, ähnlich wie bei Raumanzügen geformte Kragen mit Metallreifen, die aussahen, als brauchten die Models nur noch einen Helm für einen Weltraumspaziergang aufzusetzen. »Es verleiht einem klassischen Pulli einen modernen Touch, doch Sie können sich gar nicht vorstellen, wie schwer das umzusetzen war, denn jedes Kleid und jeder Pulli hat andere Maße«, erklärte Lagerfeld. »Es war eine Frage von Millimetern.«

Mit glitzernden Stiefeln und mit Perlen und Kristallen bestickten Stirnbändern, mit mondförmigen Taschen (siehe Seite 656 unten links), silbernen Rucksäcken oder raketenförmigen Täschchen (gegenüber) ausgerüstet, spazierten die jungen Frauen auf einem erhöhten Laufsteg um die Chanel-Rakete herum. Anschließend posierten sie für ein spektakuläres Finale, bei dem die Rakete einen Start simulierte – eine Glanzleistung auf hydraulischem und pyrotechnischem Gebiet. »Ein unvergleichliches Theaterstück, inszeniert vom großen Showmaster der Mode«, urteilte *The Financial Times*.

PAP-

AGENCE SPATIALE

ENT N°5

»DIE MODERNITÄT DER ANTIKE«

Die als imaginäre Reise in ein idealisiertes Griechenland konzipierte Schau »Die Modernität der Antike« fand inmitten von künstlichen Ruinen statt, die dem Parthenon sowie dem Poseidontempel am Kap Sounion nachempfunden und in der Galerie Courbe des Grand Palais aufgebaut worden waren.

»Für mich ist Griechenland der Ursprung von Schönheit und Kultur, dort gab es eine wunderbare Bewegungsfreiheit, die heute nicht mehr existiert«, erklärte Karl Lagerfeld. »Die Griechen besaßen etwas, das später verloren ging: Der Körper war nichts, das versteckt werden musste, wegen dessen man sich schämte, wie in späteren Jahrhunderten. Ebenso wie heute war der Körper wichtig, genau wie die Kleidung, alles war leicht und ungezwungen, und für mich ist dies die moderne Botschaft der Antike.«

Das Thema Antike wurde spielerisch interpretiert, »aus einer neuen Perspektive«, wie Lagerfeld meinte, mit kurzen, ungefütterten Kleidern aus besticktem Tweed, deren Schnitt »die Schlichtheit mediterraner Tuniken« widerspiegelte. Die Motive der Stricksachen waren antiken Vasen und Friesen entlehnt, drapierte Kleider waren mit »goldbestäubten, mit Kamelien geschmückten Eichen- und Lorbeerkränzen« bedruckt. Daneben gab es »an die Tracht Spartas angelehnte Kleider aus Leinencanvas, deren an Brustpanzer erinnernde Oberteile mit bunten Steinen verziert waren« (siehe Seite 661 links). Eine Reihe von jungfräulich weißen Kleidern mit schmalen Taillen, auf die Pailletten so aufgestickt waren, dass ein Marmoreffekt erzielt wurde (siehe Seite 661 oben rechts), beschloss die Schau.

»So wie Michel Gauberts Soundtrack die vergeistigten Kompositionen von Iannis Xenakis mit den gefühligen Tracks der griechischen Prog-Rock-Band Aphrodite's Child mixte, so remixte Mr Lagerfeld altgriechischen Stil und legte einen wahrhaft olympischen Sprint durch die ionische Ikonografie hin«, schrieb Alexander Fury in der *New York Times*.

Zu den Accessoires zählten Römersandalen mit »Säulenabsätzen« und Lederschnüren, Schmuck in Form von zarten Zweigen, Lorbeer- und Olivenblättern sowie bestickte Stirnbänder und sogar ein Eulentäschchen, eine Anspielung an das Wahrzeichen der Göttin Athene (siehe Seite 661 unten rechts).

»Durch Mode bringe ich eine Faszination zum Ausdruck, die mich seit meiner Kindheit beschäftigt: Das erste Buch, das ich las, war von Homer«, gestand Karl Lagerfeld.

UNTER DEM EIFFELTURM

Die zu Füßen einer 38 Meter hohen Eiffelturmkopie vorgestellte Kollektion sollte, wie Karl Lagerfeld verkündete, »ein Liebesbrief an Paris« sein. »Ich konnte nicht den ganzen Turm unterbringen und ließ die Spitze deshalb in einer Wolke verschwinden.«

»Es ist die Vision einer neu belebten Pariserin«, erklärte der Modeschöpfer. »Alles dreht sich um Schnitte, Formen, Silhouetten. Hier ist die Linie deutlich konturiert und grafisch ... [Haute] Couture muss eine perfekte, tadellose Struktur haben.« In ihrem Artikel für *Vogue* beschrieb Suzy Menkes die Kollektion als »außerordentlich pariserisch: konsequent im Schnitt, doch mit gerundeten Formen«.

»Lagerfeld konzentrierte sich auf ein gemeinsames Merkmal von Eiffelturm und [Haute] Couture: die Perfektion der Struktur«, berichtete *Women's Wear Daily*. »Um das zu unterstreichen, enthielt die Pressemappe mehrere Looks, die jeweils zweimal fotografiert worden waren: einmal in Schwarz-Weiß und einmal als Silhouette, bei der nur die präzisen Umrisse sichtbar waren.«

Die verwendeten Materialien waren luxuriös: Es gab klassischen schwarzen Satin, kostbare japanische Mikado-Seide (»ein wahrhaft göttliches Material, das schwer und üppig wirkt, in Wirklichkeit aber sehr leicht ist«, merkte Lagerfeld an) und Einsprengsel aus Federn, die »wie Pelz behandelt wurden« und Schultern, Halsausschnitte und Taschen akzentuierten.

Für das Finale bot der Designer ein Brautkleid aus weißem Satin mit Federstickerei der Maison Lemarié auf. »Ein paar Leute im Publikum legten das Handy weg und griffen stattdessen zum Taschentuch, als die Braut den langen bekiesten Weg in einer Ballrobe mit hoher Taille und Federbesatz an Ärmeln und Saum entlangschritt und die lange Schleppe wie eine Wolke hinter ihr herschwebte«, schrieb Suzy Menkes. »Als Ode an Paris war diese Schau unvergesslich.«

Diese Hommage an den Pariser Stil schloss mit der Verleihung der Medaille Grand Vermeil, der höchsten Auszeichnung der Stadt Paris: Anne Hidalgo, ihre Bürgermeisterin, ehrte damit Karl Lagerfeld für seinen Beitrag zur Mode.

WASSERFÄLLE

Nachdem er sich mit einer früheren Kollektion unter Wasser begeben hatte (siehe Seite 506), ließ sich Karl Lagerfeld erneut von diesem Element inspirieren. Dieses Mal zog es ihn hinaus in die Natur, die er sich wiederum in den Grand Palais holte, mit Wasserfällen und moosbewachsenen Felswänden, für die er sich von der Verdon-Schlucht in Südfrankreich inspirieren ließ. »Mir gefiel die Vorstellung von Wasser, von Leichtigkeit«, erklärte er. »Wasser in Bewegung glitzert und schäumt [...] Es ist eine Leben spendende Kraft. Ohne Wasser gibt es kein Leben.«

Wassertropfen-Ohrgehänge aus schimmernden Perlen und Glas spielten mit dem Licht. Transparenz war ein zentrales Thema, zu sehen an durchsichtigen PVC-Anglerstiefeln, Kapuzen und Capes (häufig mit Perlenstickereien übersät), fingerlosen Handschuhen und Stiefeln.

Eröffnet wurde die Schau mit einem breitschultrigen Kostüm aus Tweed und Lackleder, getragen von Kaia Gerber, die damit ihr Debüt bei Chanel-Schauen gab (rechts). Es folgte eine Reihe von glitzernden Tweed-Ensembles, mit irisierenden Fäden durchwirkt. Ihre Säume hatten oft lange Fransen, um Bewegung hineinzubringen.

Es folgte »ein Strom von Blautönen [...] lagunenblauer Denim mit kristallblauem Vinyl, türkisblauer Tweed, mit in Blau- und Weißnuancen bedrucktem Seidenchiffon kombiniert« und anschließend als Finale ein »kleines weißes Kleid«, dessen Stickereien Gesteinsstrukturen nachahmten (siehe Seite 669 unten rechts).

»Hier ist kein Stoff dabei, den Sie auch anderswo kaufen könnten«, betonte Karl Lagerfeld. »Sie sind alle eigens von Chanel selbst hergestellt.« Die Presse würdigte die Schau gebührend. »Zu beobachten, wie sich das diffizile Gleichgewicht zwischen natürlich wirkenden Texturen und hohem technischem Können immer wieder dynamisch einpendelte, war atemberaubend«, schrieb Sarah Mower in *Vogue*.

CHA
NEL

CHANEL

AM ELBUFER

Nach der sehr kosmopolitischen Métiers-d'Art-Schau, die in dem nachempfundenen Ritz Paris stattgefunden hatte (siehe Seite 646), beschloss Karl Lagerfeld, die neueste Kollektion in seiner Geburtsstadt Hamburg vorzustellen. Die damals brandneue, vom Schweizer Architekturbüro Herzog & de Meuron entworfene Elbphilharmonie im alten Hafenbereich am Elbufer wurde als Location auserwählt.

Die Kollektion war als Hommage an die kunsthandwerklichen Ateliers von Chanel gedacht, wobei Seemannsbekleidung und die Wahrzeichen der Stadt neu interpretiert und durch den Chanel-Filter betrachtet wurden. Es gab aufwendige Flechtmotive, die an Schiffstaue erinnerten, kunstvoll in der Maison Lesage gestickt (siehe Seite 672 unten links), Schiffermützen aus der Maison Michel, mit Federn geschmückte Matrosenpullis, Kamelien mit propellerförmigen Blütenblättern, mit Ankern verzierte Manschettenknöpfe und Clutches, die wie Schiffscontainer in Miniatur aussahen.

»Hamburg war schon immer gediegen, es ist keine Stadt für den roten Teppich«, meinte Lagerfeld. »Ich ging mit Söhnen von Schiffsbesitzern zur Schule, und wir durften auf den Schiffen spielen, deshalb bin ich mit alldem sehr vertraut.« »Ich mag Hamburg als Vorstellung«, fügte er hinzu. »Ich habe es sozusagen immer im Hinterkopf, es ist Teil meiner DNA, meines geistigen Erbes, wenn man so will.«

CHANEL
PARIS

»FRANZÖSISCHE FANTASIE«

»Nach dem strengeren Look in Hamburg [siehe Seite 670] wollte ich das Gegenteil davon: französische Fantasie und französische Leichtigkeit«, erklärte Lagerfeld. »Vom Herben zum Sanften.«

Blumen, Licht und Frühlingsanklänge dominierten die Kollektion. Die Palette reichte von frischen Grüntönen bis zu einer Vielzahl von Pinknuancen: Pastellpink, verblichenes Korallenrot und Akzente von kräftigem Fuchsia.

Stolz präsentierte die Kollektion das handwerkliche Geschick der Haute-Couture-Ateliers von Chanel: Es gab kunstvolle Dekorationen, wie Brokatstickereien mit Perlen und Kristallen, raffinierte Fältelungen und Federverzierungen, »teuflisch« geniale Schnittkonstruktionen wie die neue, für das Chanelkostüm entwickelte »facettierte Schulter« (wobei durch mehrere Nähte auch ohne Polsterung eine gerundete Form entstand) und geschlitzte »lächelnde Taschen« an Jacken, Kleidern, Tuniken und Jumpsuits.

Das von Kaia Gerber vorgeführte hellrosa Kleid mit Reifrock und federgeschmückten Baby-Doll-Puffärmeln (Seite 677 oben), das im Rhythmus der Schritte seiner Trägerin mitschwang, war eine Anspielung an die französische Gartenkultur des 18. Jahrhunderts. Es folgten lange plissierte Kleider mit reich bestickten Korsagen (siehe Seite 678 rechts), doch wurde die romantische Tendenz stets von maskuliner Lässigkeit unterlaufen, die sich etwa in flachen Stiefeln zum klassischen weißen Brautkleid niederschlug, das mit einer Frackweste und hoch geschnittenen Hosen kombiniert worden war (Seite 679).

»Es ist eine romantische Stimmung«, sagte Karl Lagerfeld. »Ich hätte nie gedacht, dass ich je eine romantische Kollektion entwerfen würde – es ist einfach so gekommen [...] Es soll auf eine ›französische‹ Weise hübsch sein. Ich bin kein Franzose, und es ist besser, wenn ein Fremder etwas sehr Französisches macht, weil es dann nicht patriotisch wirkt – es ist einfach nur die französische Ästhetik.«

HERBSTLAUB

»Ich liebe Herbstwälder, mit all ihren Gold- und Brauntönen [...] ich finde das sehr schön«, sagte Karl Lagerfeld, der dieses Mal eine sehr persönliche und vom Norden inspirierte Kollektion präsentierte. »Inzwischen weiß ich, dass ich kein Geschöpf des Südens bin. Ich bin ein Mensch aus dem Norden. Als ich jung war, war mir das noch nicht bewusst. Inzwischen ist mir das sehr klar geworden [...] Hier sehen Sie das, was ich mag; ich habe nicht versucht, es kommerziell zu gestalten.«

»In gewisser Weise erinnert es mich an meine Kindheit«, erzählte Lagerfeld weiter, »denn das Haus, in dem ich acht Jahre lang lebte, und das ich mit 14 oder 15 verließ, stand mitten im Wald. Es gab mehrere Alleen, die zu dem Haus führten, und sie sahen so aus wie diese. Doch ich merkte erst später, wie sehr dies alles Teil von mir ist, wie es mein Geschmacksempfinden und meine Erfahrungen prägte. Gleichzeitig ist es aber auch *très* Chanel.«

Die 81 vorgestellten Looks waren in erdigen, der Natur entlehnten Farbnuancen gehalten, aufgelockert durch Blattdrucke, zweigartige Flechtmuster, Knöpfe mit eingeschnitzten Blättern. Leuchtend rote oder pinkfarbene Handschuhe, Kragen oder Schals setzten kontrastierende Farbakzente.

Mäntel, Jacken und Kleider hatten eine lang gezogene und zurückhaltende Linienführung. Irisierender schwarzer Rippensamt war zu langen, geraden oder doppelreihigen Mänteln mit eckigen Schultern verarbeitet worden, zu denen die Models flache Schnürschuhe oder golden schimmernde Overknee-Stiefel trugen.

»Ich liebe den *Indian Summer*«, schloss Karl Lagerfeld. »Der Herbst war mir immer die liebste Jahreszeit.«

»LA PAUSA« – ALLE AN BORD

Nach einem Aufenthalt in der Hafenstadt Hamburg (siehe Seite 670) holte Chanel das Schiffsthema nach Paris und ließ mitten in den Grand Palais einen 110 Meter langen Ozeanriesen hineinbauen.

Das Schiff war nach *La Pausa* benannt, der Villa, die sich Gabrielle Chanel 1929 in Südfrankreich erbauen ließ, als sie mit dem Herzog von Westminster liiert war. Das Schiff diente als Vorlage für ein Vortizismus-Motiv, das auf Vinyl-Messengerbags (siehe gegenüber oben rechts) und Strandanzüge gedruckt war.

In Anspielung an den Kreuzfahrtstil der 1920er und 1930er »drehte sich die Kollektion um das, was [Lagerfeld] als das ›flexible‹ Kleid bezeichnete, ein Modell aus Oberteil und Rock, das den Bauch leicht blitzen ließ«, berichtete *Women's Wear Daily*. Bei »einer Abendversion kontrastierten gestickte Matrosenstreifen mit Haufen von Konfettipailletten an Taille und Ärmel«.

Am Ende verbeugte sich Karl Lagerfeld mit der langjährigen Kreativdirektorin Virginie Viard, bevor die Gäste an Bord der *La Pausa* gingen, um an der Schlussparty teilzunehmen.

LA
PAUSA
LA PAUSA
CHANEL

DAS NEUE »HOHE NIVEAU«

Vor dem Hintergrund einer Kulisse, die das Institut Français, Sitz der Académie Française, sowie die Freiluft-Buchstände der *bouquinistes* am Seine-Ufer nachbildete, wurde eine Kollektion präsentiert, die eine Liebeserklärung an Frankreichs Hauptstadt war. » [Haute] Couture muss in Paris sein, wo die Farben so schön und subtil sind«, vertraute Karl Lagerfeld (selbst leidenschaftlicher Büchersammler) Suzy Menkes an.

Der Designer hatte sich erneut mit dem »Prominenten-Effekt« (siehe auch Seite 402) befasst, mit jener Kollektion, die sich auf die Profilansichten der Models konzentriert hatte. Das ergab eine Linie, die »durch Reißverschlüsse mit Flechtborten strukturiert war, und die man an den ikonischen Tweedkostümen des Hauses ebenso sah wie an Abendkleidern, an geschlitzten schmalen Ärmeln mit kontrastierender Fütterung über langen, fingerlosen Lederhandschuhen von Causse und an Röcken und Kleidern, die den Blick auf bestickte Miniröcke freigaben«, verkündete Chanel. »Man kann die Ärmel seitlich öffnen oder schließen«, erklärte Karl Lagerfeld. »Man kann auch den Rock seitlich öffnen, sodass das Bein im Profil viel hübscher aussieht – es wirkt endlos lang.«

Im Einklang mit dem Flair der französischen Literatur, um das sich bei dieser Kollektion alles drehte, trug die Braut (Model Adut Akech) eine blassgrüne Jacke im Redingote-Stil, die mit Olivenblättern bestickt und mit einer Flechtborte aus Glasperlen besetzt war (siehe Seite 691 oben und unten rechts), eine Anspielung an die traditionelle Uniform der Mitglieder der Académie Française.

CHANEL
CHANEL
CHANEL
MADEMOISELLE CHANEL
COCO CHANEL
CHANEL
Paul Morand
L'allure de Chanel
A.G.B

IVL. MAZARIN S. R. E. CARD BASILICAM ET GYMNAS. F. C. A. M. D. C. LX I

CHANEL AM MEER

Für diese Schau ließ sich Karl Lagerfeld abermals von Wasser und Meeresküste inspirieren und erdachte dafür einen Sandstrand unter blauem Himmel, komplett mit rhythmisch anrollenden Wellen. »Es ist der Strand einer meiner Lieblingsorte. Es ist nichts los dort, [es gibt] keine Boote, weil die See so rau ist«, erklärte Lagerfeld und bezog sich dabei auf die Strände von Sylt, Deutschlands nördlichster Insel.

»Ich war als Kind dort – und kehrte einmal für eine Kampagne [Herbst/Winter 1995–1996 Prêt-à-porter] dorthin zurück, zusammen mit Claudia Schiffer und Shalom Harlow«, fuhr er fort. »Es ist ein Ort, der, weltweit gesehen, noch kaum von Umweltverschmutzung betroffen ist, mitten in der Nordsee. Als ich ein Kind war, konnte man nur mit Fischerbooten hinüberfahren. Die Landschaft dort verändert sich täglich, denn die Dünen werden vom Wind geformt.«

Model Luna Bijl (rechts) eröffnete die Schau mit einem paillettenbestickten Tweedkostüm und zwei über den Hüften getragenen Taschen, deren Schulterriemen einander überkreuzten: die neuen »Side-Packs«, wie das Haus sie taufte. »Mini- oder Maxiversionen können auch miteinander verbunden werden, mit oder ohne einem Paar Mules«, um die Hände beim Barfußspazieren am Strand frei zu haben.

Es dominierten Farben, die an Sonne und Sand erinnerten. Accessoires wie breitkrempige Hüte oder Stroh-Caps mit verlängertem Schild waren, ebenso wie viele Kleidungsstücke, mit den Silben »CHA-NEL« verziert. »Die Miniröcke sind mit kleinen perlmuttfarbenen und goldenen Perlen bestickt, die wie verstreute Sandkörner wirken, dazu [gibt es] passende Kosmetikkoffer in Naturstroh«, informierte das Modehaus.

Die jugendlich ausgelassene Schau »betrachtete Chanel aus dem Blickwinkel eines begeisterten jungen Mädchens, das gern die für sie zu große 1980er-Chaneljacke, die kurzen Kaschmirpullis und die gesteppten Handtaschen mit Metallkette aus dem Kleiderschrank seiner Mutter stibitzt«, schrieb Sarah Mower in *Vogue*. »Athleisure, Leggins und Tauchershorts sollen ein neuer Trend sein? Ha! Karl Lagerfeld führte Chanel zum ersten Mal 1991 an den Strand [siehe Seite 122], als er seine City-Surfer-Kollektion präsentierte. Ja, die schlug [damals] Wellen.«

CHA
CHA
NEL
CHANEL

CHA
NEL
CHA NEL
CHA
CHANEL

CHANEL

CHA

CHA NEL
CHA NEL

ÄGYPTOMANIE

Die in der großen Halle des Tempels von Dendur im New Yorker Metropolitan Museum of Art präsentierte Métiers-d'Art-Kollektion mit dem Titel »Paris–New York« (siehe auch Seite 368) hatte das erklärte Ziel, »den Stil des Hauses durch Anklänge an das alte Ägypten und an New York zu erneuern«, wie Chanel bekanntgab.

Suzy Menkes bemerkte noch weitere Bezüge, nämlich auf »die italienische Memphis-Gruppe, deren Möbel der Designer in den 1980ern sammelte«, und auf »eine Zeit, in der die Entdeckung des Grabs des Tutenchamun in den 1920ern eine Welle der Ägyptomanie auslöste, die sich sowohl in der Kunst als auch in Manhattans Architektur niederschlug, wie das Chrysler Building und andere Art-déco-Wolkenkratzer bezeugen.«

Karl Lagerfeld beauftragte die Kunsthandwerker von Chanels Métiers-d'Art-Ateliers, einzigartige Stücke zu schaffen, wie die goldenen Schuhe von Massaro, die alle Looks begleiteten (darunter goldene Stiefel aus geprägtem Leder mit schmucksteinverzierten Absätzen, eine Kooperation des Modeschmuckherstellers Desrues und des Juweliers Goosens; siehe gegenüber unten links). Weitere Beispiele waren die handgewebten Tweedstoffe mit eingezogenen handbemalten Goldbändern von Lesage und glitzerndes Stickdekor mit Schmucksteinen von Goosens, das als Besatz und Verzierung für Riemen, Oberteile, Brustplatten und Schultern diente.

Das Pariser Atelier von Lognon legte schwarzen Tüll und Organza in zarte Ziehharmonikafalten, die den Ärmeln und Röcken einiger Silhouetten Bewegung verliehen (siehe Seite 700 unten rechts), und die langen, grafisch gestalteten Abendkleider, die zum Schluss gezeigt wurden, waren mit kunstvollen Federbesätzen in Blau, Rot und Gold der Maison Lemarié garniert (siehe Seite 701 oben rechts).

»Der Alligator- und der Pythoneffekt in dieser Kollektion waren optische Täuschungen«, verriet Sarah Mower in *Vogue,* »denn heute erzeugt man sie, indem man Leder bedruckt oder sogar mit schuppenartigen Pailletten beklebt. Chanel verkündete am Vorabend der Schau, dass das Haus keine Häute von Krokodilen, anderen exotischen Reptilien und Stachelrochen mehr verarbeiten wird.«

VILLA CHANEL

Vor dem Hintergrund einer klassischen Villa im italienischen Stil (»Es ist luxuriös, heiter und ruhig«, verriet Karl Lagerfeld am Tag vor der Schau *Women's Wear Daily*), präsentierte der Designer einen Rückblick ins 18. Jahrhundert, seine Lieblingsperiode in der Geschichte.

Eine wertvolle Inspiration war ihm dabei die Ausstellung »Luxuserzeugnisse: Die Pariser Händler im 18. Jahrhundert«, die kurz zuvor im Pariser Museum Cognacq-Jay gezeigt worden war. Dabei ging es vor allem um »die Pariser Kaufleute, die die Reichen des 18. Jahrhunderts mit Luxuswaren aller Arten versorgten, von Seidenbändern über vergoldete Bilderrahmen bis hin zu prunkvollen Einrichtungsgegenständen«, berichtete Hamish Bowles für *Vogue*. »Nachdem König Ludwigs XV. Trendsetterin Madame Pompadour [...] die exquisiten Arbeiten der Meißener Porzellanmanufaktur gesehen hatte, [...] beauftragte sie die französischen Porzellanhersteller in Vincennes damit, ähnliche Porzellanblüten zu schaffen, damit sie ihre prunkvollen Häuser und Diners auch in den Wintermonaten, wenn in ihren Gärten nichts blühte, mit den von ihr so geliebten Blumen schmücken konnte.«

Auch auf der gesamten Kollektion erblühten Blumen. Es gab handgemalte florale Motive auf Organza zu bewundern sowie Keramikblüten auf pastellfarbenen Kleidern (siehe Seite 704) und sogar echte Blumen, die mit Kunstharz lackiert worden waren, »um sie auf hübscheste Art zu konservieren«, wie *Women's Wear Daily* anerkennend feststellte. Diese meinte abschließend: »Lagerfeld plädierte für die Bejahung der Fröhlichkeit, der Freude an der Schönheit und an der Natur (selbst wenn es keine echte Natur ist).« »Die Gegenüberstellung von Substanz und Leichtigkeit ist der ultimative Prüfstein für das Geschick eines Couturiers«, befand Tim Blanks.

Anders als sonst zeigte sich der Modeschöpfer am Ende dieser Schau nicht dem Publikum, weil er erschöpft war, und ließ sich von der Kreativdirektorin Virginie Viard vertreten. Diese verbeugte sich gemeinsam mit der glitzernden Braut, die in einem reich bestickten silbernen Badeanzug mit passender Kappe (siehe Seite 705 oben) einen glamourösen Schlusspunkt setzte.

CHALET GARDENIA

Ein friedliches verschneites Alpendorf hieß die Gäste zur Präsentation der letzten, gemeinsam von Karl Lagerfeld und seiner rechten Hand und Nachfolgerin Virginie Viard geschaffenen Kollektion willkommen. »Ein Schneeparadies, ein Stückchen vom Chanel-Himmel, aus einer Entfernung betrachtet, die nur schwer zu ertragen war«, kommentierte *Vogue*.

Die Schau fand ein paar Wochen nach Lagerfelds Tod im Februar 2019 statt und begann mit einer Schweigeminute. Dann wurde die Aufnahme eines Interviews abgespielt, in dem der Modeschöpfer an seine Anfänge bei Chanel zurückdachte. Als ihm der Posten angeboten worden war, hatte er ihn nur deshalb angenommen, weil ihn Gabrielle Chanels Charakter faszinierte und weil er Herausforderungen liebte. (»Jeder sagte mir, tu es nicht, es kann nicht funktionieren.«) Mit dieser Entscheidung schlug er ein neues Kapitel in der Geschichte der Mode auf.

Die Kollektion, in der weiße, schwarze und graue Töne vorherrschten, stellte unterschiedliche Silhouetten vor, angefangen von bodenlangen Tweedmänteln und Hosenanzügen bis hin zu fließenden Capes und fluffigen »Schneeball«-Federkleidern (siehe Seite 711 oben).

»Lagerfelds letzte Präsentation war [...] emotional, ohne nostalgisch oder sentimental zu sein. Sie war winterlich, aber nicht kalt«, berichtete Jo Ellison in *The Financial Times*. »Diese Schau, die getragen und heiter zugleich war, der es gelang, Leichtigkeit und Substanz gleichermaßen einzufangen, die Lässigkeit wie ausgelassene Freude ausstrahlte, gestaltete den Abschied von dem unvergleichlichen Modegenie Karl Lagerfeld auf eine Weise, die ihm sicherlich gefallen hätte«, jubelte Sarah Mower in *Vogue*.

Am Ende der Schau erhoben sich die Gäste applaudierend, als die Models – darunter Cara Delevingne und Penelope Cruz – zu den Klängen von David Bowies »Heroes« noch einmal gemeinsam vorbeidefilierten. »Es gab einen Grund dafür, warum viele Models beim Finale gerührt waren«, schrieb Jo-Ann Furniss. »Es waren Models wie Mariacarla Boscono darunter, die Karl kennengelernt hatten, als sie Teenager waren, und die er unter seine Fittiche nahm und dazu ermutigte, sie selbst zu sein.«

»Am 5. März endete etwas, und etwas Neues begann«, fuhr Furniss fort. »Karl Lagerfeld hatte nicht nur den Verlauf der Geschichte zu deuten gewusst, sondern stets auch nach vorn geschaut. Dies war ebenso Virginie Viards Schau, wie es Karl Lagerfelds Schau war. Sie folgt einem Rhythmus, doch sie spielt ihre eigene Melodie.«

»The beat goes on« hatte Karl Lagerfeld eine seiner Skizzen betitelt, die ihn neben Gabrielle Chanel zeigte – in dieselbe Richtung blickend. Kopien der Skizze lagen auf allen Sitzplätzen.

A - H
2019 2020
Chalet Gardenia

VIRGINIE VIARD – EINE KURZBIOGRAFIE

von Patrick Mauriès

Virginie Viard, die 1962 geborene Enkelin von Seidenfabrikanten, fühlte sich schon früh zur Mode hingezogen: »Ich wusste noch nicht ganz genau, was ich machen wollte«, erzählte sie der australischen *Vogue* über ihre Teenagerzeit, »doch, dass es etwas mit Mode sein sollte, war klar, denn ich habe Kleidung schon immer geliebt. Überhaupt gab es in meiner Familie viele Frauen, die Mode liebten.« Angefangen bei ihrer Mutter, ihrem ersten Vorbild, die gern Sonia Rykiel oder Chloé trug, exklusive Labels des aufstrebenden Prêt-à-porter.

Virginie Viards erste Begegnung mit Karl Lagerfeld kam 1987 durch Vermittlung von Verwandten zustande. Er trug ihr damals die Aufgabe an, bei Chanel die Kommunikation mit den Métiers d'Art zu übernehmen. 1992 machte er ihr den Vorschlag, gemeinsam mit ihm zu Chloé überzuwechseln, ein Modehaus, dem er bereits zwanzig Jahre zuvor zu großen Erfolgen verholfen hatte.

Virginie Viard, die Kostümdesign studiert hatte, war Assistentin von Dominique Borg, der Kostümbildnerin für den Film *Camille Claudel* mit Isabelle Adjani in der Titelrolle. Auch während ihrer Zeit bei Chloé arbeitete Viard weiter in diesem Bereich und entwarf die Kostüme für Krzysztof Kieślowskis Filme *Drei Farben: Blau* (1993), der Juliette Binoche einen César einbrachte, und *Drei Farben: Weiß* (1994). Dabei stattete sie in ihrem typischen, von Understatement geprägten Stil zwei der bedeutendsten französischen Schauspielerinnen jener Zeit aus.

Nach fünf Jahren bei Chloé kehrte Viard 1997 zu Chanel zurück, um dort Studioleiterin zu werden. Dies war der Beginn einer langen und fruchtbaren Zusammenarbeit mit Karl Lagerfeld, der die junge Designerin mit der Aufgabe betraute, seine Skizzen, Ideen und Geistesblitze umzusetzen. Nach vielen Jahren einer harmonischen Kooperation mit Lagerfeld – der unglaublich großzügig sein konnte, andererseits aber auch streng war, wenn seine Erwartungen nicht erfüllt wurden – erklärte dieser eines Tages (eines seiner zahlreichen legendären Zitate), dass Virginie Viard seine rechte und zugleich auch seine linke Hand sei.

Ein bewährtes Ritual für Lagerfeld und Viard war es, sich am Spätnachmittag mit den Studioteams im dritten Stock des Gebäudes in der Rue Cambon zusammenzusetzen, nachdem Viard dort tagsüber daran gearbeitet hatte, Stoffe auszuwählen und Skizzen umzusetzen. Lagerfeld kam gegen 18 Uhr dazu, um neue Skizzen zu liefern. »Wir können deshalb so viele Kollektionen präsentieren, weil wir die Arbeit von zwei Tagen an einem einzigen schaffen«, erklärte Virginie Viard in einem Interview mit *Vogue Australia*.

Diese einzigartige Form einer guten Zusammenarbeit bestand über zwanzig Jahre lang. Mit einer eleganten Geste der Anerkennung, nicht nur im Wortsinn, lud Karl Lagerfeld bei den letzten von ihm präsentierten Modenschauen Virginie Viard dazu ein, an seine Seite zu kommen. Und ihr Soloauftritt bei der Schau vom Januar 2019 signalisierte eher die Übernahme des Stabes denn einen Abschluss, und damit nicht das Ende, sondern vielmehr die Neuerfindung einer Epoche. Mittlerweile liegt die künstlerische Leitung der Haute Couture, des Prêt-à-porter und der Accessoires in Händen von Virginie Viard, die die Aufgabe übernommen hat, das Erbe Karl Lagerfelds zu bewahren und zu erneuern – ebenso, wie er das Vermächtnis von Coco Chanel weiterführte. Nie passte der berühmte Satz aus Tomasi di Lampedusas *Der Leopard* besser als auf die Geschichte des Hauses Chanel: »Alles muss sich ändern, damit es bleibt, wie es ist«.

REISELUST

Nachdem Virginie Viard über dreißig Jahre lang Karl Lagerfelds engste Mitarbeiterin gewesen war, markierte ihre erste eigene Kollektion den Antritt einer neuen Reise für das Haus Chanel. Die Präsentation fand auf einem imaginierten Beaux-Arts-Bahnhof statt, der mit Schildern bestückt war, die an die Schauplätze früherer Chanel-Kollektionen erinnerten: Venedig (siehe Seite 446), Saint-Tropez (Seite 474), Edinburgh (Seite 532) und viele andere mehr. Indem sie als Location den Grand Palais wählte – traditioneller Schauplatz für die Chanel-Kollektionen –, lud Viard die Zuschauer dazu ein, auf dieser Reise sowohl nach vorn als auch zurückzublicken.

»Das mächtige Haus Chanel ist heute von der DNA von beiden geprägt, also sowohl von der Gabrielle ›Coco‹ Chanels als auch von der Karl Lagerfelds. Diese beiden Modegiganten schufen das Vorbild, dem Frauen über hundert Jahre lang nacheiferten«, schrieb Hamish Bowles in *Vogue*. Viards Debütkollektion war eine Hommage an diese beiden großen Persönlichkeiten.

»Während der ehrerbietende Eröffnungslook [siehe rechts] eine Vermutung darüber darstellte, wie sich die befreite junge [Gabrielle] Chanel 2020 gekleidet hätte – nämlich mit einer legeren schwarzen Jacke, einer weichen, unaufgeregten weißen Bluse und einer weiten Hose, die kurz genug war, um eine entschlossene Frau nicht in ihrer Bewegungsfreiheit einzuschränken –, war der abschließende Look [siehe Seite 718 unten rechts] eine Verbeugung vor Lagerfeld: ein Neckholder-Kleid mit einem steifen edwardianischen Kragen in Lagerfelds Lieblingsfarben Schwarz und Weiß«, bemerkte Bowles.

Die praktischen Hosenanzüge aus Gabardine oder gewachster Baumwolle, einige davon mit Kettengürteln und Rüschenblusen kombiniert, waren von Arbeitskleidung inspiriert. Das ikonische Chanel-Kostüm präsentierte sich in leuchtenden Farben und neuen Silhouetten mit zwei, vier, sechs oder acht Taschen, mit Gürtel und Leggins kombiniert oder zu Bustiers in Form von überdimensionalen Schleifen getragen. Elegante schwarze Abendkleider, einige davon mit abnehmbaren Spitzenkrägen aus weißem Organdy ergänzt, bildeten den Abschluss.

»[Virginie Viard] verdient höchstes Lob für ihre elegante, diskrete Haltung und für den Hauch Weiblichkeit, den sie zurückbrachte in das, was einst die Essenz von Cocos Welt starker Frauen symbolisierte«, befand Suzy Menkes in *Vogue*.

VOIE
B
VOIE
A
BYZANCE

RIVIERA

DIE BIBLIOTHEK

Der Grand Palais wurde für Virginie Viards Haute-Couture-Debüt in eine große, runde Bibliothek mit einem schicken Wohnraum verwandelt – eine Anspielung an die Bibliothek in Coco Chanels Wohnung in der Rue Cambon und an die Pariser Buchhandlung Galignani, zu deren Stammkunden der bibliophile Karl Lagerfeld gehörte. »Ich habe geträumt von einer Frau mit nonchalanter Eleganz und einer fließenden, freien Silhouette – eben all das, was ich am Chanel-Stil so sehr mag«, erklärte Viard.

Die mit maskulinen Einflüssen spielende Kollektion wurde mit einer Reihe von langen, gerade geschnittenen Tweedmänteln eröffnet (siehe rechts), auf die leuchtend bunte Boleros und Bomberjacken mit gerundeten Schultern und Ärmeln folgten. Einige davon waren mit leichten, durchscheinenden weißen Halskrausen ausstaffiert, die passend zum literarischen Thema der Kollektion an aufgeschlagene Bücher erinnerten (siehe gegenüber, unten links). Lesebrillen und Knöpfe waren Hauptaccessoires, letztere mit Schmucksteinen besetzt oder aber in den Farben von Pergament und anderen kostbaren Papierarten gehalten.

»Ja, sehr gelehrt [...] allerdings sah diese Bibliothekarin nach einer Million Dollar aus«, berichtete Tim Blanks. »Kaia Gerbers leuchtend pinkfarbenes Jacquardkostüm [siehe gegenüber, unten rechts] wurde dominiert von einer Passe aus Origamiblüten, also einer weiteren Transformation von Papier«, fügte er hinzu. Dann pries er »ein mit Schleife und Plastronkragen verziertes, hochgeschlossenes schwarzes Samtkleid mit weißen Manschetten [siehe Seite 723 unten], das die Strenge von Lagerfelds geliebter Wiener Secession verkörperte und gleichzeitig die maskuline Klarheit von Chanels eigener Inspiration«. »[Viards] Couture-Debüt war geprägt von Eleganz, Zurückhaltung und dem aufmerksamen Verständnis dafür, was die Chanel-Kundin erwartet«, schloss Blanks.

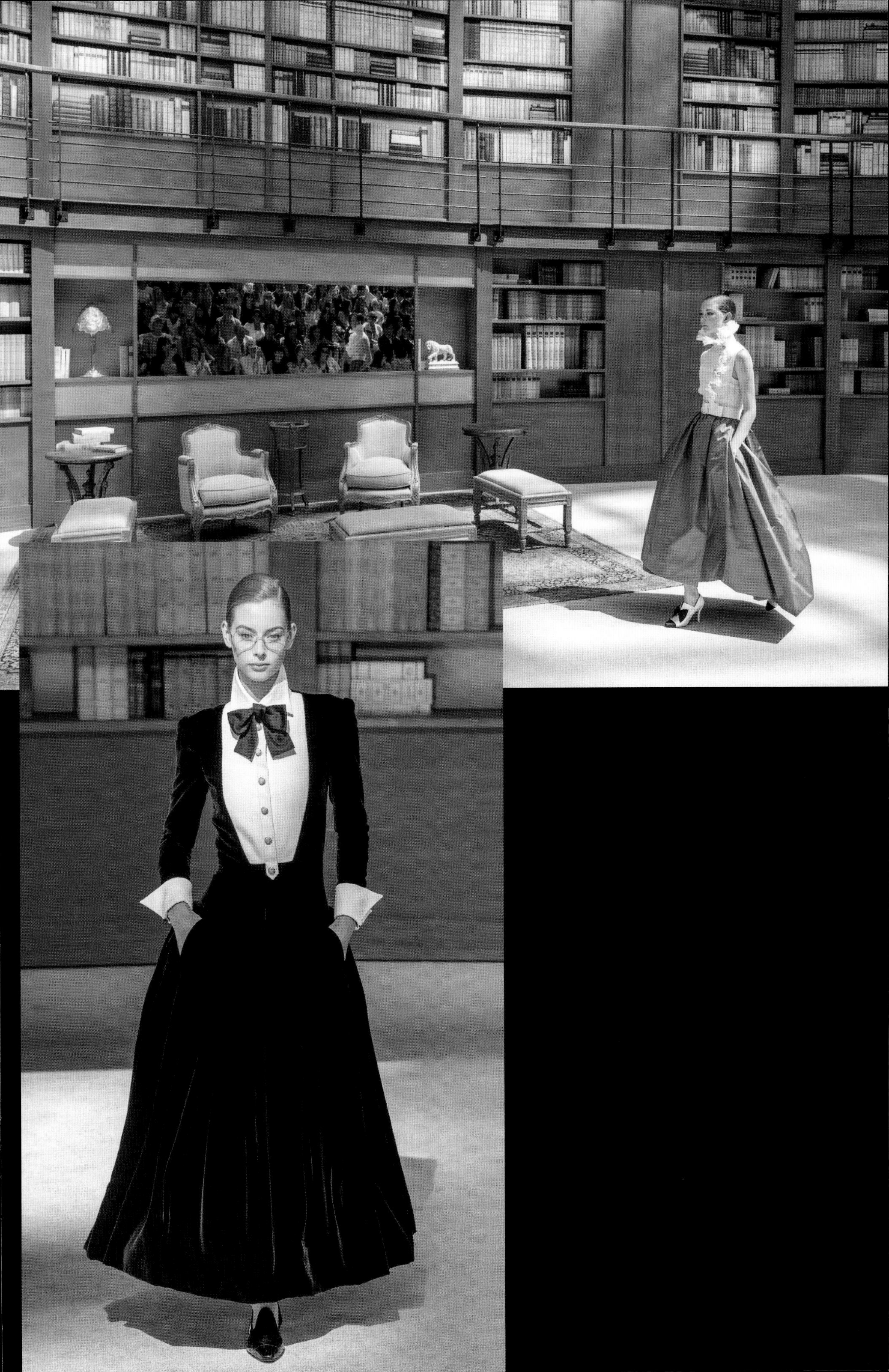

ÜBER DEN DÄCHERN VON PARIS

»Die Dächer von Paris erinnern mich an die Atmosphäre der Nouvelle Vague«, erklärte Virginie Viard bei der Vorstellung ihrer neuesten Kollektion, die inmitten von nachgebauten, typisch pariserisch anmutenden Zinkdächern gezeigt wurde. »Ich sah Silhouetten auf den Dächern herumspazieren. Ich dachte an Kristen Stewart in der Rolle der Jean Seberg und an all die Schauspielerinnen, die seinerzeit von Gabrielle Chanel eingekleidet worden waren.«

»Der Trend ist jugendlich und die Stimmung optimistisch und hoffnungsvoll«, schrieb Susannah Frankel. Die Silhouette war auf Bewegungsfreiheit ausgerichtet: Die berühmten Tweedkostüme hatten sich in praktische, freche Spielanzüge verwandelt; einige davon wurden von passenden, an Federmäppchen erinnernde Reißverschluss-Handtaschen begleitet, die mit dem Namenszug des Hauses verziert waren – gelegt aus einer mit Lederband durchflochtenen Kette (siehe gegenüber, unten rechts).

Fließende leichte Röcke mit hoher Taille wurden mit flachen Sandalen kombiniert, und hier und da auch mit einem Filzhut der Maison Michel. An Ballettkostüme erinnerten Mini-Shorts, die zu farblich abgestimmten, paillettenbesetzten Tops und schwarzen, legginsartigen Strumpfhosen getragen wurden. Immer wieder sah man Puffärmel, an Tages- wie an Abendmode, »mit zahllosen Schleifen und Volants aufgebauscht, mit Raffia und Organzablütenblättern bestickt«, wie in der Pressenotiz zu lesen stand.

»Viards Interpretation von Chanel war von der übermütigen Verspieltheit einer jungen, kessen Coco geprägt«, berichtete Tim Blanks. Viard präsentierte »ihre praktische Umsetzung der Chanel-Garderobe für junge Frauen«, stellte Sarah Mower in *Vogue* fest. »Eine zeitgenössische Kleidungsanleitung für junge Mädchen, die auf Coco Chanels Vermächtnis aufbaute.«

HEIMKEHR

Virginie Viard hat die letzten dreißig Jahre lang eng mit Chanels Métiers d'Art zusammengearbeitet, und vielleicht auch deshalb fühlt sie sich ihnen sehr verbunden. Für ihre erste Métiers-d'Art-Kollektion inszenierte sie ein Remake der Debütschau von 2002, die diskret in den Räumen der Rue Cambon stattgefunden hatte (siehe Seite 316). »Ich liebte jene Schau sehr«, erklärte Viard. »Die Models rauchten Zigaretten und hörten Musik von Lou Reed. Es ging mehr um die Geisteshaltung als um das Thema an sich.«

Sie wollte so etwas wie eine Hommage an jene richtungsweisende Schau schaffen und damit an die Art, in der die Modelle zu Zeiten Gabrielle Chanels vorgestellt wurden: Die Mannequins stolzierten durch einen Spiegelsaal, während die Modeschöpferin von ihrem berühmten Treppenplatz aus die Reaktionen des Publikums beobachtete. Mit Unterstützung der Regisseurin, Oscarpreisträgerin und ehemaligen Chanel-Volontärin Sofia Coppola baute Viard im Grand Palais eine cineastische Version der Rue Cambon 31 nach (mit einem großen Kronleuchter mit ineinander verschlungenen Cs und der Ziffer 5). »Zuallererst denke ich an die Treppe«, beschrieb Viard den geistigen Entwurfsprozess. »Ich stelle mir ein Mädchen vor, das sie hinabsteigt. In welchem Kleid? Mit welchen Schuhen?«

Die Kollektion, die nach der Designerin »zu Chanels ABC zurückkehrte«, spielte sowohl an die ikonischen als auch an die weniger bekannten Aspekte der Geschichte des Hauses an. Es fehlten weder Batikmotive, die von einem 1960 von Gabrielle Chanel kreiertem pinkfarbenem Tweedkostüm mit schwarz, blau, pink und mauve gefärbtem Futterstoff inspiriert waren (siehe gegenüber, unten links), noch plastische Kamelien aus Schmucksteinen von Lemarié (siehe Seite 730 unten) oder Minaudière-Täschchen in Form von goldenen Käfigen (siehe Seite 730 oben rechts), eine Anspielung an den kleinen Vogelkäfig in Mademoiselles Appartement.

»Viard setzt die Kunstfertigkeit der *fournisseurs* auf subtile Weise ein, um Kleidung zu verzieren, die eine Spur Lagerfeld zeigt, aber auch auf eine Weise tragbar ist, die dem Geist Gabrielle Chanels nahekommt, in einer Zeit, in der Modenschauen ihrem aus mehreren Generationen bestehenden Publikum eine Vielfalt von Optionen anbieten«, schrieb Hamish Bowles in *Vogue*.

»Ich habe die Chanel-Codes verinnerlicht«, erklärte Virginie Viard. »Ich habe gesehen, wie Karl mit ihnen gespielt hat. Ich bin hier aufgewachsen. Ich bin ein Kind von Karl und Gabrielle.«

CHANEL
CHANEL
N°5
CHANEL
N°5

AUBAZINE

Für ihre zweite Haute-Couture-Kollektion warf Virginie Viard einen Blick auf Gabrielle Chanels Kindheit, und zwar auf jene Jahre im Waisenhaus in der alten Zisterzienserabtei Aubazine, in dem der Vater Gabrielle nach dem Tod ihrer Mutter unterbrachte, bevor er für immer verschwand.

Viard besuchte die Abtei und war fasziniert. »Mir gefiel auf Anhieb der wild wuchernde Klostergarten. Es war ein sehr sonniger Tag, und es kam ein Sommergefühl auf. Die Luft war von Blumenduft erfüllt. Ich stellte mir Blütenstickereien wie aus einem Herbarium vor, zarte Blumen. Was mich an diesem Dekor interessierte, war der Gegensatz zwischen der Raffinesse von Haute Couture und der Schlichtheit dieses Orts.«

»Mir gefiel auch die Vorstellung von den Zöglingen, den Schulmädchen, der Kinderkleidung vergangener Zeiten«, fuhr Viard fort – dieses Thema spiegelte sich in der Gestaltung der Modelle, die die Schau eröffneten und zu denen Söckchen, Schnürstiefeletten und weiße Strumpfhosen getragen wurden.

Doch neben der für Chanel charakteristischen klaren Linienführung, dem maskulinen Touch und der beschränkten Farbpalette »wob Viard auch [Gabrielles] Eigenwilligkeit ein«, befand Tim Blanks. »Sozusagen zwischen den Zeilen war aus der Kollektion ein verborgener Subtext herauszulesen. Gigi Hadid glänzte in ihrem langen schwarzen Lehrerinnenkleid mit dem ›sündhaft‹ hohen Schlitz [gegenüber, oben links].«

Die Vorstellungswelt der jungen Gabrielle wurde durch viele Elemente der Abtei beeinflusst, die sich später, wie das Haus Chanel erklärte, in ihrer Arbeit wiederfanden: »die Bodenfliesen mit verschiedenen Motiven wie Sterne, die Buntglasfenster und ihre ineinander verwobenen geometrischen Muster« etwa standen hier für die Spitzenkrägen Pate (siehe gegenüber, unten links und rechts) sowie für ein Kostüm und ein Kleid, die dicht mit matten pastellfarbenen Pailletten bestickt waren (siehe Seite 734 unten links).

Romantisch wurde es im letzten Teil der Schau, deren Abschluss ein kurzes Hochzeitskleid aus Crêpe Georgette bildete. Der dazu getragene Schleier war mit Glyzinienstickereien verziert (siehe Seite 735 oben). »Der Schleier war am Haarknoten der Braut befestigt«, berichtete Tim Blanks. »Sie konnte ihn mit einem Griff abnehmen, vielleicht um sich bereitwillig wieder von ihrem Bräutigam loszusagen. Das sah sehr nach der lebhaften, modernen Coco aus, und Viard gelang es auf beeindruckende Weise, deren faszinierendes, komplexes Wesen einzufangen.«

ROMANTICA

»Ein sehr schlichter, sehr reiner Impuls. Romantik, aber ohne Zierrat, Gefühle ohne Rüschen.« Das, erklärte Virginie Viard, seien die Ideen, von denen sie sich für ihre jüngste Kollektion inspirieren ließ. »Bewegung, Luft [...] Eine Laufstegschau ohne Rahmen«, stattdessen ein von leichtem Nebel umwölkter Spiegelboden, über den die Models – mitunter in schwesterlichen Grüppchen von zwei oder dreien – flanierten und durch die kurvigen, farblich dezenten Kulissenelemente spazierten.

Das Thema dieser Kollektion war der Reitsport, als Inspiration dienten die erst vor Kurzem entdeckten Seidenjacken [*casaques*] des Jockeys von Gabrielle Chanels Rennpferd Romantica. Es gab eine Vielzahl weit geschnittener Jodhpurhosen (seitlich mit silbernen Druckknöpfen zu öffnen, um »lebhaftere Bewegungen zu ermöglichen«, wie Viard erklärte) und »Streifen, die an die Satinärmelbänder von Jockeyjacken erinnerten und in die Ärmel von Jacken oder Mänteln aus Tweed eingesetzt waren«, wie Hamish Bowles in *Vogue* berichtete.

Von Lagerfeld hatte sich Viard die Siebenmeilenstiefel ausgeliehen, die er auf einem Foto aus den 1980er-Jahren trug, das ihn an der Seite von Anna Piaggi zeigte, »beide in höchstem Maße edwardianisch gekleidet [...] Lagerfeld [in] einer nach Art eines Cutaway gestreiften Jacke und Weste, einer weichen schwarzen Seidenkrawatte, Jodhpurhosen und robusten Reitstiefeln – ein Bild, das für Viard ›extrem romantisch‹ besetzt ist«, wie Bowles befand.

»Im Füllhorn der Schneiderkunst waren die Kleider die wahren Kostbarkeiten, genäht aus opulenten Samtstoffen, schimmerndem Taft und handgewebtem Tweed«, schrieb der Modejournalist Dan Thawley. »Ihre Schlichtheit gewährte der Verspieltheit anderer Dinge Platz, wie den Verschlüssen aus weißen Naturperlen an einer schneeweißen Jacke mit Bogenkante über kurzen Shorts mit Rock«, kombiniert mit Viards Version der mit Schmucksteinen besetzten byzantinischen Kreuze, die Gabrielle Chanel so liebte.

BIBLIOGRAFIE

Um den Lesefluss nicht zu stören, wurden keine Verweise oder Fußnoten im Text angeführt.

Als Quellen für die Zitate im Vorwort und in der Biografie von Karl Lagerfeld und Virginie Viard dienten die nachfolgenden Artikel und Bücher.

Alice Cavanagh: Virginie Viard on her career with Karl Lagerfeld at Chanel and what makes a Chanel woman. In: *Vogue Australia,* 19. Februar 2019.

John Colapinto: In the Now. Where Lagerfeld lives. In: *The New Yorker,* 12. März 2007.

Anabel Cutler: Chanel after Coco. In: *In Style,* Oktober 2009.

Jo Ellison: King of Couture. In: *The Financial Times,* 5. Juli 2015.

Susannah Frankel: Still Crazy about Coco. In: *The Independent Magazine,* 22. März 2008.

Kennedy Fraser: The Impresario: Imperial Splendors. In: *Vogue US,* September 2004.

Natasha Fraser-Cavassoni: I Should Coco! In: *The Times Luxx Magazine,* 14. November 2009.

Hadley Freeman: Chanel. In: *10,* Herbst 2005.

Hadley Freeman: The Man behind the Glasses. In: *Fashion Handbook,* 17. September 2005.

Tina Gaudoin: Master and Commander. In: *The Times,* 5. März 2005.

Nelly Kapriélian: Le cuirassé Lagerfeld. In: *Vogue Paris,* Oktober 2007.

Interview mit Karl Lagerfeld in: *i-D,* The Studio Issue, März 2004.

Marie-Pierre Lannelongue: L'extravagant mystère Karl. In: *Elle France,* 14. Februar 2015.

Rebecca Lowthorpe: The Man behind the Shades. In: *Elle UK,* März 2012.

Daphne Merkin: Alter Egos. In: *Elle US,* April 2003.

Jean-Christophe Napias, Sandrine Gulbenkian (Hrsg.): *Karl über die Welt und das Leben,* Hamburg 2014.

Adélia Sabatini: The House that Dreams Built. In: *Glass,* Sommer 2010.

BILDNACHWEIS

Alle Abbildungen © firstVIEW, wenn nicht anders angegeben.

Gabriel Bouys/Getty Images: 620, 621 (oben)

Victor Boyko/Getty Images: 680–681 (Hintergrundbild)

Stephane Cardinale – Corbis/Getty Images: 628–629, 647 (oben links und unten), 658 (oben), 659 (unten links), 670 (oben), 677 (oben), 680, 684 (oben und unten), 730 (unten)

Catwalkpictures.com: 26–27, 32–33, 38-39, 42–47, 50–59, 64–67, 69–73, 80–85, 115 (oben links), 116–121, 126–129, 176–179, 184–187, 192–194, 202–205

Copyright © Chanel: 23, 278–279, 294–295, 308–309, 316–317, 330–331, 338–339, 348–349, 358–359, 390–391, 410–411, 460–465, 488–493, 510–513, 571

Dominique Charriau/Getty Images: 685 (oben rechts) The Fashion Group International, Inc.: 48–49, 180–183, 188–191, 196–201

Pietro D'Aprano/Getty Images: 621 (links)

Antonio de Moraes Barros Filho/ Getty Images: 652 (rechts)

Dia Dipasupil/Getty Images: 700 (links), 701 (unten)

The Fashion Group International, Inc.: 48–49, 180–183, 188–191, 196–201

GARCIA/Gamma-Rapho via Getty Images: 75 (oben rechts)

Alain Jocard/Getty Images: 689 (oben)

Patrick Kovarik/Getty Images: 617 (oben)

Pascal Le Segretain/Getty Images: 641 (oben), 646, 647 (oben rechts), 648 (unten links und rechts), 649 (oben links und rechts), 658 (unten), 659 (oben rechts), 715, 730 (unten links)

Guy Marineau/W, © Condé Nast: 28–29

Bertrand Rindoff Petroff/Getty Images: 68, 648 (oben), 649 (unten rechts), 667 (oben links), 687 (oben)

Daniel Simon/Gamma-Rapho via Getty Images: 74, 75 (oben links und unten)

Kristy Sparow/Getty Images: 729 (alle), 730 (oben rechts)

Patrick Stollarz/Getty Images: 671 (oben)

Victor Virgile/Getty Images: 691 (oben)

Peter White/Getty Images: 627 (unten links), 733 (oben links, unten links und rechts)

Hinweis: Für die Chanel-Haute-Couture-Kollektion Frühjahr/ Sommer 2013 (siehe Seite 538–541) wurden Blumenmuster aus den 1930ern aus dem Victoria & Albert Museum in London verwendet.

DANKSAGUNG

Der Autor und der Verlag bedanken sich bei
Karl Lagerfeld, Eric Pfrunder, Pauline Berry,
Marie-Louise de Clermont-Tonnerre, Laurence Delamare,
Cécile Goddet-Dirles und Sarah Piettre für ihre Mitarbeit
und Unterstützung bei der Entstehung dieses Buches.

Ein besonderer Dank geht an Kerry Davis und Don Ashby von
firstVIEW sowie an Sean Tay für seine Hilfe bei der Recherche.

REGISTER KLEIDUNG, ACCESSOIRES UND MATERIALIEN

Die nachfolgenden Seitenzahlen beziehen sich auf die Abbildungen.

KLEIDUNG

ACCESSOIRES

MATERIALIEN, MUSTER UND DEKOR

REGISTER MODELS

Die nachfolgenden Seitenzahlen beziehen sich auf die Abbildungen.

H

I

J

K

P

Q

R

S

Wir haben uns bemüht, die Namen aller in diesem Buch gezeigten Models ausfindig zu machen, wobei das nicht immer möglich war. Für die folgenden Auflagen nehmen wir jedoch gern weitere Angaben entgegen.

ALLGEMEINES REGISTER

Siehe auch die vorhergehenden Register der Abbildungen.

D

E

F

G

H

W

X

Y

Z

in der Penguin Random House Verlagsgruppe GmbH
Neumarkter Straße 28 · 81673 München
3. Auflage 2022

Dieses Buch erschien erstmals 2016 unter dem Titel
Chanel Catwalk: Karl Lagerfeld – Die Kollektionen.
Die vorliegende Ausgabe wurde 2020 erweitert und aktualisiert.

First published in the United Kingdom in 2016
as *Chanel Catwalk: The Complete Karl Lagerfeld Collections*
by Thames & Hudson Ltd, 181A High Holborn,
London WC1V 7QX
This edition has been revised and updated, published
as *Chanel Catwalk: The Complete Collections*

Projektleitung Verlag: Claudia Stäuble
Übersetzung: Daniela Papenberg
Gestaltung: Fraser Muggeridge studio
Satz und Lektorat: Gisela Witt für bookwise GmbH, München
Herstellung: Friederike Schirge
Druck und Bindung: C&C Offset

Penguin Random House Verlagsgruppe FSC® N001967

Gedruckt in China
ISBN 978-3-7913-8698-0

www.prestel.de